漢検 3級 〔書き込み式〕 問題集

高橋書店

●本書の特長と使い方●

この本は漢検３級によく出る問題を分析し、ミニテスト形式で対策できる問題集です。

１回分は、見開き２ページ、10分で終わるようにまとめました。気軽に始められ、すぐに結果が見えるから、部活や塾で忙しい人や、漢字の勉強が苦手な人にも解きやすい構成になっています。

複数ジャンルを一度に解けるから
実戦に強い！

問題は10年分を分析し「でる順」
で配置。効率的に対策できる

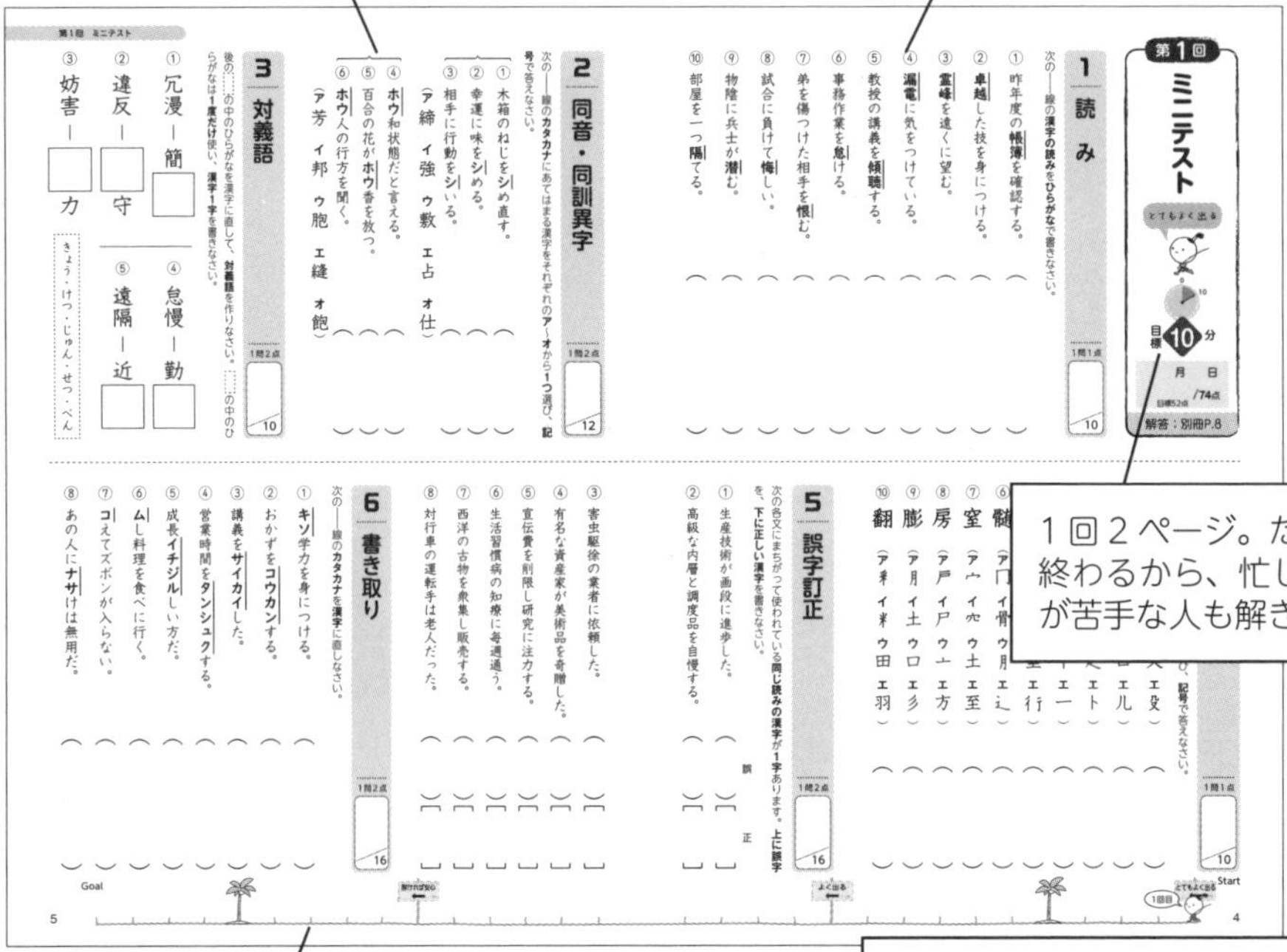

１回２ページ。たった10分で
終わるから、忙しい人や漢字
が苦手な人も解きやすい

たのしく進捗管理できる
おまけイラストつき

・模擬テスト７回分
・３級新出漢字表
・分野別よく出る問題リスト　など
　合格に役立つ項目もたっぷり収録！

●漢字検定３級〔書き込み式〕問題集　目次●

編集協力 ･････････ 株式会社　エディット
株式会社　アクト
株式会社　スマートゲート
イラスト ･････････ 馬場俊行
校　　正 ･････････ 株式会社　鷗来堂

※本書は2020年発刊の『漢検3級〔書き込み式〕問題集』を最新出題傾向に合わせてリニューアルした改訂版です。

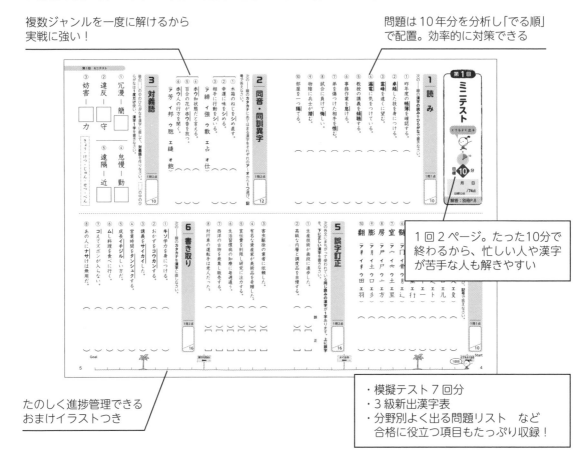

第１章

でる順で解ける ミニテスト

ミニテストの使い方

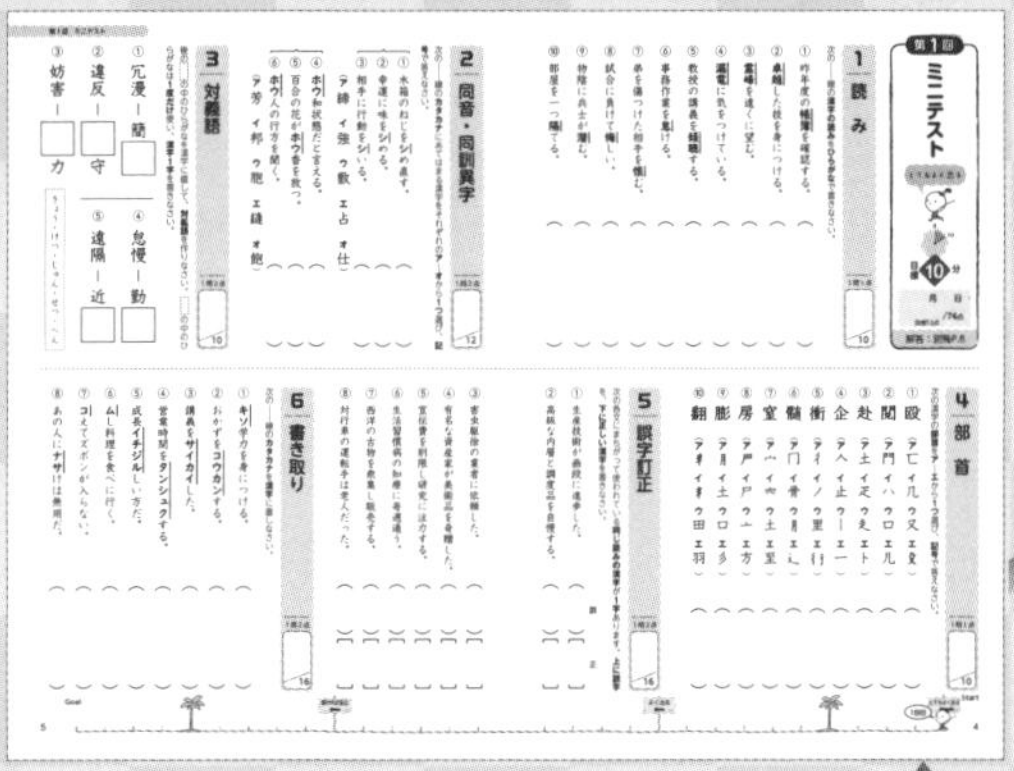

◀ミニテストを解いてみよう

出る順で解けるミニテスト。実際の試験を参考に、複数の分野を1回の試験で対策できるように構成しました。

各回の制限時間は10分。わからない問題は飛ばして、サクサク進めるのがポイント！

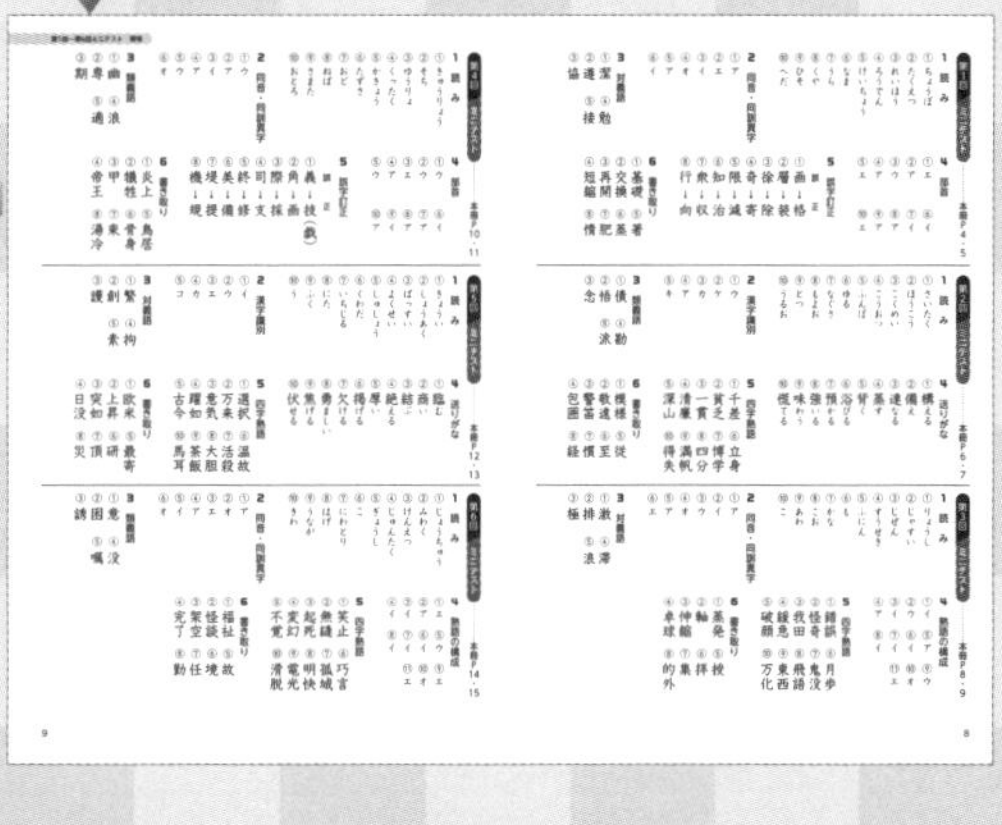

別冊解答で答え合わせ▶

まちがえた問題や飛ばした問題に印をつけて、しっかり復習しましょう。

あいまいな漢字は、新出漢字表（別冊 P.2）でチェック。採点表に点数を書き込めば、弱点分野が見えてきます。

第1回
ミニテスト

とてもよく出る

目標10分

月　日

/74点　目標52点

解答：別冊P.8

1 読み

次の――線の**漢字の読み**を**ひらがな**で書きなさい。

1問1点　/10

① 昨年度の**帳簿**を確認する。（　　）
② **卓越**した技を身につける。（　　）
③ **霊峰**を遠くに望む。（　　）
④ **漏電**に気をつけている。（　　）
⑤ 教授の講義を**傾聴**する。（　　）
⑥ 事務作業を**怠**ける。（　　）
⑦ 弟を傷つけた相手を**恨**む。（　　）
⑧ 試合に負けて**悔**しい。（　　）
⑨ 物陰に兵士が**潜**む。（　　）
⑩ 部屋を一つ**隔**てる。（　　）

4 部首

次の漢字の**部首**を**ア～エ**から**1つ**選び、**記号**で答えなさい。

1問1点　/10

① 殴（ア 匚　イ 几　ウ 又　エ 殳）（　　）
② 閲（ア 門　イ ハ　ウ 口　エ 儿）（　　）
③ 赴（ア 土　イ 疋　ウ 走　エ ト）（　　）
④ 企（ア 人　イ 止　ウ ｜　エ 一）（　　）
⑤ 衡（ア 彳　イ ノ　ウ 里　エ 行）（　　）
⑥ 髄（ア 冂　イ 骨　ウ 月　エ 辶）（　　）
⑦ 室（ア 宀　イ 穴　ウ 土　エ 至）（　　）
⑧ 房（ア 戸　イ 尸　ウ 亠　エ 方）（　　）
⑨ 膨（ア 月　イ 土　ウ 口　エ 彡）（　　）
⑩ 翻（ア 釆　イ 米　ウ 田　エ 羽）（　　）

5 誤字訂正

次の各文にまちがって使われている**同じ読みの漢字**が**1字**あります。**上に誤字**を、**下に正しい漢字**を書きなさい。

1問2点　/16

誤　正

① 生産技術が画段に進歩した。（　　）［　　］
② 高級な内層と調度品を自慢する。（　　）［　　］

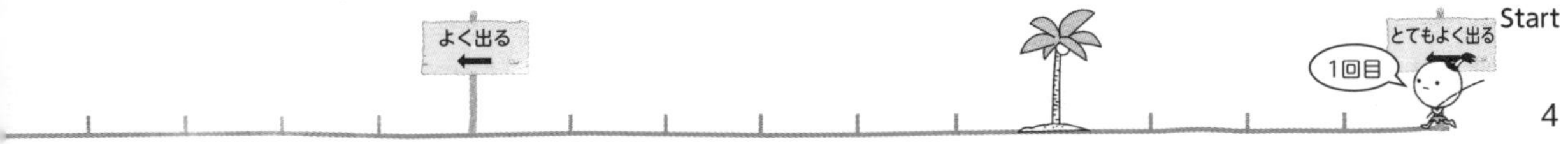

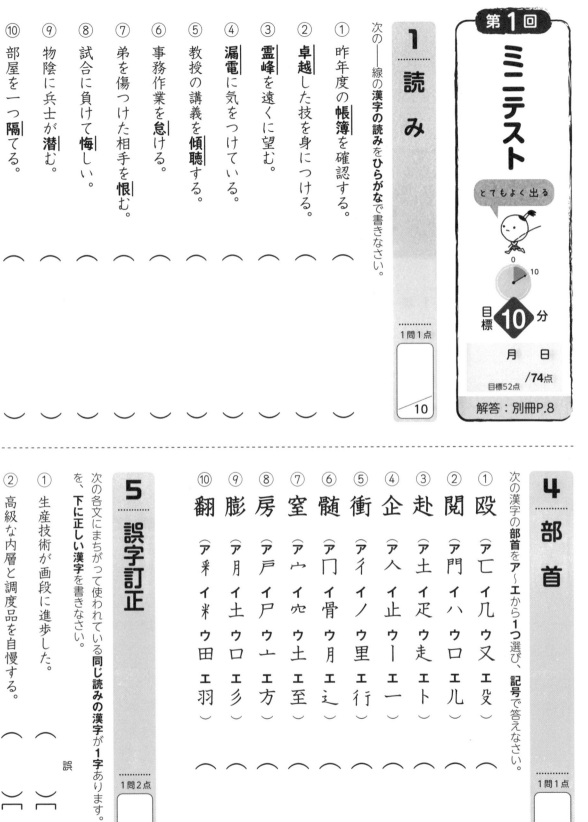

2 同音・同訓異字

1問2点　／12

次の——線の**カタカナ**にあてはまる漢字をそれぞれの**ア**～**オ**から**1つ**選び、**記号**で答えなさい。

① 木箱のねじを**シ**め直す。（　）
② 幸運に味を**シ**める。（　）
③ 相手に行動を**シ**いる。（　）
（**ア** 締　**イ** 強　**ウ** 敷　**エ** 占　**オ** 仕）

④ **ホウ**和状態だと言える。（　）
⑤ 百合の花が**ホウ**香を放つ。（　）
⑥ **ホウ**人の行方を聞く。（　）
（**ア** 芳　**イ** 邦　**ウ** 胞　**エ** 縫　**オ** 飽）

3 対義語

1問2点　／10

後の[　]の中のひらがなを漢字に直して、**対義語**を作りなさい。[　]の中のひらがなは**1度だけ**使い、**漢字1字**を書きなさい。

① 冗漫 ― 簡□
② 違反 ― □守
③ 妨害 ― □力
④ 怠慢 ― 勤□
⑤ 遠隔 ― 近□

[きょう・けつ・じゅん・せつ・べん]

---

③ 害虫駆除の業者に依頼した。（　）〔　〕
④ 有名な資産家が美術品を奇贈した。（　）〔　〕
⑤ 宣伝費を削限し研究に注力する。（　）〔　〕
⑥ 生活習慣病の知療に毎週通う。（　）〔　〕
⑦ 西洋の古物を衆集し販売する。（　）〔　〕
⑧ 対行車の運転手は老人だった。（　）〔　〕

6 書き取り

1問2点　／16

次の——線の**カタカナ**を**漢字**に直しなさい。

① **キソ**学力を身につける。（　）
② おかずを**コウカン**する。（　）
③ 講義を**サイカイ**した。（　）
④ 営業時間を**タンシュク**する。（　）
⑤ 成長**イチジル**しい方だ。（　）
⑥ **ム**し料理を食べに行く。（　）
⑦ **コ**えてズボンが入らない。（　）
⑧ あの人に**ナサ**けは無用だ。（　）

Goal　解ければ安心 ←

第2回

ミニテスト

とてもよく出る

目標 10 分

月　日

/86点

目標61点

解答：別冊P.8

1 読み

1問1点　/10

次の——線の**漢字の読み**を**ひらがな**で書きなさい。

① いくつかの案を**採択**した。（　　）

② 桜の**芳香**がただよっている。（　　）

③ **克明**な記述を読む。（　　）

④ **甲乙**つけがたい作品だ。（　　）

⑤ 巨大な**墳墓**を目にする。（　　）

⑥ **緩**やかに売上が上がる。（　　）

⑦ 肩を落とす友人を**慰**める。（　　）

⑧ 部の歓送迎会を**催**す。（　　）

⑨ 昨年、姉が**嫁**いだ。（　　）

⑩ かわいたのどを**潤**す。（　　）

4 送りがな

1問2点　/20

次の——線の**カタカナ**を**漢字1字**と**送りがな（ひらがな）**に直しなさい。

① のんびりと**カマエル**。（　　）

② 災害に**ソナエ**ておく。（　　）

③ 高い峰が**ツラナル**。（　　）

④ 肉と野菜を**ムス**。（　　）

⑤ 上官の命令に**ソムク**。（　　）

⑥ 熱いシャワーを**アビル**。（　　）

⑦ 大事なお金を**アズカル**。（　　）

⑧ 無茶なことを**シイル**。（　　）

⑨ 中華料理を**アジワウ**。（　　）

⑩ 寝坊して**アワテル**。（　　）

5 四字熟語

1問2点　/20

次の**四字熟語**の——線の**カタカナ**を**漢字**に直し、**2字**を書きなさい。

① 生物は**センサ**万別だ。（　　）

② 彼は器用**ビンボウ**だ。（　　）

③ 終始**イッカン**した主張だ。（　　）

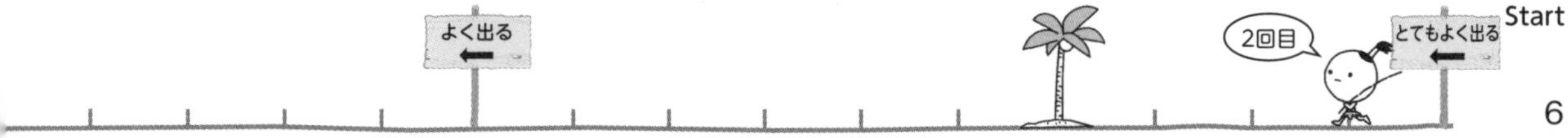

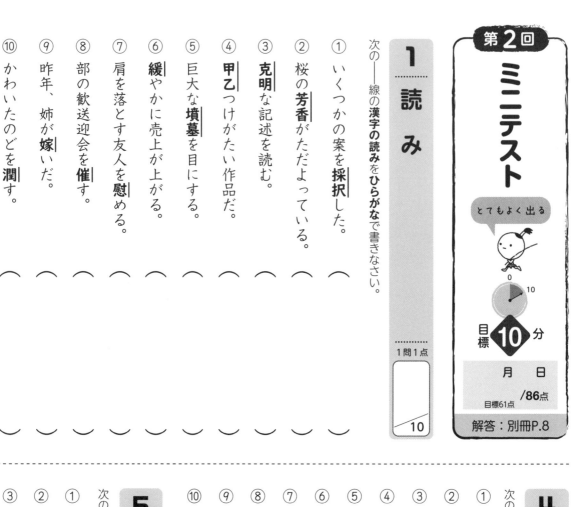

2　漢字識別

1問2点　/10

次の3つの□に**共通する漢字**を入れて熟語を作りなさい。漢字は［　］から**1つ**選び、**記号**で答えなさい。

① 討□・殺□・□採　（　　）
② □想・夢□・□影　（　　）
③ 悲□・□願・□歓　（　　）
④ □名・秘□・隠□　（　　）
⑤ □起・□声・召□　（　　）

ア 匿	イ 論	ウ 伐	エ 思	オ 劇
カ 哀	キ 喚	ク 大	ケ 幻	コ 密

3　類義語

1問2点　/10

後の［　］の中のひらがなを漢字に直して、**類義語**を作りなさい。［　］の中のひらがなは**1度だけ**使い、**漢字1字**を書きなさい。

① 借金 ― 負□
② 決心 ― 覚□
③ 克明 ― 丹□
④ 容赦 ― □弁
⑤ 華美 ― □手

［かん・ご・さい・ねん・は］

---

④ **セイレン**潔白の人物だ。（　　）
⑤ **シンザン**幽谷を写真に撮る。（　　）
⑥ **リッシン**出世を志す。（　　）
⑦ **ハクガク**多才の士官だ。（　　）
⑧ **シブン**五裂でまとまらない。（　　）
⑨ 順風**マンパン**の生活を送る。（　　）
⑩ 利害**トクシツ**を気にする。（　　）

6　書き取り

1問2点　/16

次の――線の**カタカナ**を**漢字**に直しなさい。

① タイルの**モヨウ**が美しい。（　　）
② バッターを**ケイエン**する。（　　）
③ 道で**ケイテキ**を鳴らす。（　　）
④ 犯人たちを**ホウイ**する。（　　）
⑤ これからも彼に**シタガ**う。（　　）
⑥ どうにか結論に**イタ**る。（　　）
⑦ 新しい生活に**ナ**れる。（　　）
⑧ いくつかの時代を**ヘ**る。（　　）

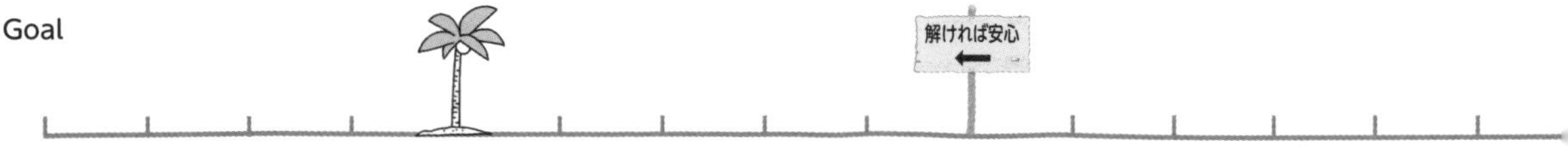

第3回 ミニテスト

とてもよく出る

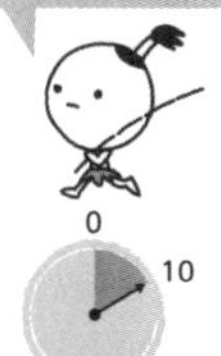

目標 10 分

月　日

/90点　目標63点

解答：別冊P.8

1 読み

1問1点　/10

次の――線の**漢字の読み**を**ひらがな**で書きなさい。

① 午前から**猟師**が山に入った。（　　）
② 二人のことを**邪推**する。（　　）
③ **慈善**活動に精を出す。（　　）
④ **数隻**の船が見えた。（　　）
⑤ 今日から小学校に**赴任**する。（　　）
⑥ ライバルに情報を**漏**らす。（　　）
⑦ **哀**しそうな表情を見せる。（　　）
⑧ 買った肉を**凍**らせる。（　　）
⑨ どんなときも**慌**てない。（　　）
⑩ **凝**った内装にする。（　　）

4 熟語の構成

1問2点　/22

熟語の構成のしかたには次のようなものがあります。

ア　同じような意味の漢字を重ねたもの　（例…**岩石**）
イ　反対または対応の意味を表す字を重ねたもの　（例…**高低**）
ウ　上の字が下の字を修飾しているもの　（例…**洋画**）
エ　下の字が上の字の目的語・補語になっているもの　（例…**着席**）
オ　上の字が下の字の意味を打ち消しているもの　（例…**非常**）

①～⑪の**熟語**は、右の**ア～オ**のどれにあたるか、**1つ**選び、**記号**で答えなさい。

① 尊卑（　　）
② 共謀（　　）
③ 栄辱（　　）
④ 脅威（　　）
⑤ 犠牲（　　）
⑥ 賢愚（　　）
⑦ 愛憎（　　）
⑧ 乾湿（　　）
⑨ 暫定（　　）
⑩ 不吉（　　）
⑪ 棄権（　　）

5 四字熟語

1問2点　/20

次の**四字熟語**の――線の**カタカナ**を**漢字**に直し、**2字**を書きなさい。

① 試行**サクゴ**をくり返す。（　　）
② 複雑**カイキ**な小説だ。（　　）
③ **ガデン**引水で話を進める。（　　）

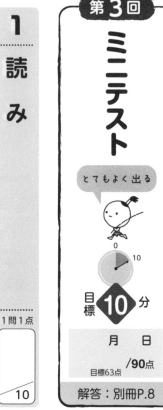

2 同音・同訓異字

1問2点 /12

次の――線のカタカナにあてはまる漢字をそれぞれのア～オから1つ選び、記号で答えなさい。

① 雪山でソウ難した。（　）
② 不安が一ソウされた。（　）
③ ソウ儀の案内を出す。（　）
（ア 遭　イ 掃　ウ 葬　エ 相　オ 想）

④ 不可解な最期をトげた。（　）
⑤ トった写真を机に飾る。（　）
⑥ 包丁をトいで使う。（　）
（ア 撮　イ 執　ウ 塗　エ 研　オ 遂）

3 対義語

1問2点 /10

後の［　］の中のひらがなを漢字に直して、対義語を作りなさい。［　］の中のひらがなは1度だけ使い、漢字1字を書きなさい。

① 穏健 ― 過［　］
② 協調 ― ［　］他
③ 地獄 ― ［　］楽
④ 進展 ― 停［　］
⑤ 節約 ― ［　］費

［げき・ごく・たい・はい・ろう］

6 書き取り

1問2点 /16

次の――線のカタカナを漢字に直しなさい。

① 水分がジョウハツする。（　）
② チームのジクとなり活躍する。（　）
③ シンシュク性のある素材だ。（　）
④ タッキュウ部の主将を務める。（　）
⑤ 王の宝物をサズかる。（　）
⑥ 神様をオガむ。（　）
⑦ 参加メンバーがツドう。（　）
⑧ マトハズれな意見だ。（　）

④ カンキュウ自在の投手だ。（　）
⑤ ハガン一笑で盛り上がった。（　）
⑥ 老人が日進ゲッポの技術に驚く。（　）
⑦ 神出キボツの犯人だ。（　）
⑧ 流言ヒゴを見分ける。（　）
⑨ 古今トウザイの童話を読む。（　）
⑩ 風景が千変バンカする。（　）

Goal

解ければ安心 ←

第4回 ミニテスト

とてもよく出る

目標 10 分

月　日

/74点　目標52点

解答：別冊P.9

1 読み

1問1点　/10

次の――線の**漢字の読み**を**ひらがな**で書きなさい。

① 街並みを**丘陵**から見渡す。（　　）

② やむを得ず**措置**を講じる。（　　）

③ **憂慮**すべき事態だ。（　　）

④ **屈託**のない笑顔だ。（　　）

⑤ 試合が**佳境**に入った。（　　）

⑥ 腰に刀を**携**える。（　　）

⑦ 急に人を**脅**かした。（　　）

⑧ **粘**り気のある食材だ。（　　）

⑨ 進むべき道を**妨**げる壁。（　　）

⑩ 選手の力が**衰**える。（　　）

4 部首

1問1点　/10

次の漢字の**部首**を**ア～エ**から**1つ**選び、**記号**で答えなさい。

① 欧（ア 匚　イ ノ　ウ 欠　エ 人）（　　）

② 顧（ア 戸　イ 隹　ウ 頁　エ 貝）（　　）

③ 墨（ア 里　イ 一　ウ 灬　エ 土）（　　）

④ 葬（ア 艹　イ 歹　ウ 匕　エ 廾）（　　）

⑤ 匠（ア 斤　イ 匚　ウ 匸　エ ｜）（　　）

⑥ 超（ア 土　イ 走　ウ 刀　エ 口）（　　）

⑦ 尿（ア 尸　イ ノ　ウ 水　エ 小）（　　）

⑧ 乏（ア ノ　イ 丶　ウ 一　エ ｜）（　　）

⑨ 吏（ア 一　イ 口　ウ 人　エ ノ）（　　）

⑩ 厘（ア 厂　イ 日　ウ 里　エ 土）（　　）

5 誤字訂正

1問2点　/16

次の各文にまちがって使われている**同じ読みの漢字**が**1字**あります。**上に誤字**を、**下に正しい漢字**を書きなさい。

誤　正

① 演義力を評価し主役に任命する。（　　）〔　　〕

② 重要な会議で企角を審議した。（　　）〔　　〕

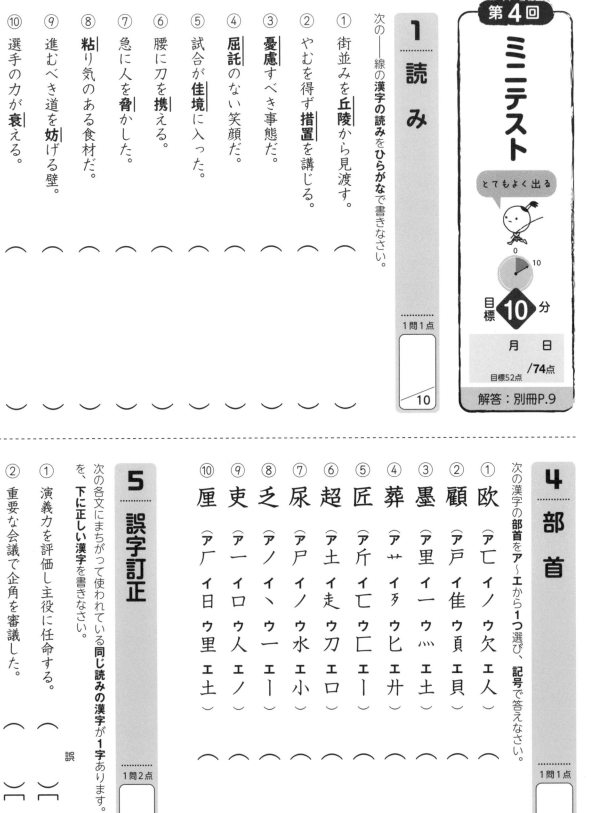

2 同音・同訓異字

1問2点　／12

次の——線の**カタカナ**にあてはまる漢字をそれぞれの**ア**～**オ**から**1つ**選び、**記号**で答えなさい。

① 選手の引退を**オ**しむ。（　　）
② 長い草が**オ**い茂る。（　　）
③ 次の委員長に**オ**す。（　　）
（**ア** 生　**イ** 推　**ウ** 惜　**エ** 起　**オ** 押）

④ 次章の**フク**線を張る。（　　）
⑤ **フク**員が減少する。（　　）
⑥ **フク**面調査員になる。（　　）
（**ア** 伏　**イ** 復　**ウ** 幅　**エ** 腹　**オ** 覆）

3 類義語

1問2点　／10

後の□の中のひらがなを漢字に直して、**類義語**を作りなさい。□の中のひらがなは**1度だけ**使い、**漢字1字**を書きなさい。

① 拘留－□閉
② 没頭－□念
③ 希望－□待
④ 漂泊－放□
⑤ 相当－□合

き・せん・てき・ゆう・ろう

---

③ 面接で有能な人材を際用する。〔　　〕→〔　　〕
④ 事実上は大臣が宮殿を司配した。〔　　〕→〔　　〕
⑤ 寺院の屋根を住職自ら終繕する。〔　　〕→〔　　〕
⑥ 毎日整美をして業務を実行する。〔　　〕→〔　　〕
⑦ 情報提供で犯罪組織を摘発する。〔　　〕→〔　　〕
⑧ 製品を機格化し商標登録した。〔　　〕→〔　　〕

6 書き取り

1問2点　／16

次の——線の**カタカナ**を**漢字**に直しなさい。

① **エンジョウ**した建物を消火する。（　　）
② **ギセイ**を払う結果になった。（　　）
③ 手の**コウ**で汗をぬぐう。（　　）
④ **テイオウ**が君臨する。（　　）
⑤ 神社の**トリイ**をくぐる。（　　）
⑥ 寒さが**ホネミ**にこたえる。（　　）
⑦ 相手に**タバ**になってかかる。（　　）
⑧ **ユザ**ましを子に飲ませる。（　　）

Goal　解ければ安心

第5回

ミニテスト

目標 10分

月　日

/86点

目標61点

解答：別冊P.9

1 読み

1問1点　/10

次の——線の**漢字の読み**を**ひらがな**で書きなさい。

① 伝染病の**脅威**にさらされる。（　）

② 組織を**掌握**する。（　）

③ 要点を**抜粋**して話す。（　）

④ はやる心を**抑制**する。（　）

⑤ それは**殊勝**な心がけだ。（　）

⑥ よからぬことを**企**てる。（　）

⑦ **著**しい成長を見せた。（　）

⑧ かまどで**煮炊**きする。（　）

⑨ 期待に胸が**膨**らむ。（　）

⑩ 下**請**けに仕事を頼む。（　）

4 送りがな

1問2点　/20

次の——線の**カタカナ**を**漢字1字**と**送りがな（ひらがな）**に直しなさい。

① みんなで決勝に**ノゾム**。（　）

② 地元で**アキナイ**をする。（　）

③ ひもを強く**ムスブ**。（　）

④ 代々続いた家が**タエル**。（　）

⑤ 手**アツイ**もてなしをする。（　）

⑥ 旗を高く**カカゲル**。（　）

⑦ 落とした皿が**カケル**。（　）

⑧ それは**イサマシイ**行動だ。（　）

⑨ 火が強すぎて**コゲル**。（　）

⑩ 草むらに身を**フセル**。（　）

5 四字熟語

1問2点　/20

次の**四字熟語**の——線の**カタカナ**を**漢字**に直し、**2字**を書きなさい。

① 取捨**センタク**をする。（　）

② 店は千客**バンライ**のにぎわいだ。（　）

③ 投手が**イキ**揚々と現れた。（　）

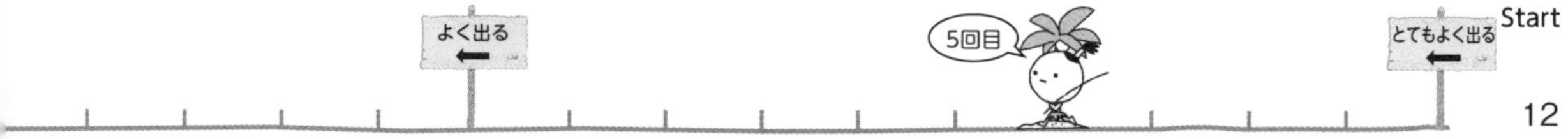

2 漢字識別

1問2点　/10

次の3つの□に**共通する漢字**を入れて熟語を作りなさい。漢字は[　]から**1つ**選び、**記号**で答えなさい。

① □納・□在・停□　（　）
② □悪・□道・□推　（　）
③ □行・□族・南□　（　）
④ 策□・無□・陰□　（　）
⑤ □鎖・□入・□建　（　）

ア 口	**カ** 謀
イ 滞	**キ** 式
ウ 邪	**ク** 飛
エ 蛮	**ケ** 未
オ 閉	**コ** 封

3 対義語

1問2点　/10

後の[　]の中のひらがなを漢字に直して、**対義語**を作りなさい。[　]の中のひらがなは**1度だけ**使い、**漢字1字**を書きなさい。

① 没落－□栄
② 模倣－独□
③ 虐待－愛□
④ 解放－□束
⑤ 華美－質□

[ご・こう・そ・そう・はん]

④ 面目**ヤクジョ**の仕事ぶりだ。　（　）
⑤ **ココン**無双の投手を引き抜く。　（　）
⑥ **オンコ**知新を心がける。　（　）
⑦ **カッサツ**自在の社長の命令だ。　（　）
⑧ **ダイタン**不敵なプレーだった。　（　）
⑨ 日常**サハン**の退屈から抜け出す。　（　）
⑩ 何を言っても**バジ**東風だ。　（　）

6 書き取り

1問2点　/16

次の——線の**カタカナ**を**漢字**に直しなさい。

① 首相が**オウベイ**を歴訪する。　（　）
② 物価が**ジョウショウ**する。　（　）
③ **トツジョ**雷鳴がとどろく。　（　）
④ **ニチボツ**の時間が早まる。　（　）
⑤ **モヨ**りの駅を教える。　（　）
⑥ 職人が刀を**ト**いでいる。　（　）
⑦ 先生から賞状を**イタダ**く。　（　）
⑧ 急に**ワザワ**いが訪れる。　（　）

第6回

ミニテスト

とてもよく出る

目標 10 分

月　日

/90点

目標63点

解答：別冊P.9

1 読み

1問1点　/10

次の――線の**漢字の読み**を**ひらがな**で書きなさい。

① 欧州の事務所に**常駐**する。（　）

② **魅惑**の宝石が存在する。（　）

③ **検閲**に引っかかる。（　）

④ **潤沢**な資金がある。（　）

⑤ 相手を**凝視**する。（　）

⑥ 料理が**焦**げつく。（　）

⑦ 朝、**鶏**が鳴いている。（　）

⑧ 落ち込んだ人を**励**ます。（　）

⑨ 右に行くよう**促**す。（　）

⑩ 物理学を**究**める。（　）

4 熟語の構成

1問2点　/22

熟語の構成のしかたには次のようなものがあります。

ア 同じような意味の漢字を重ねたもの（例…**岩石**）
イ 反対または対応の意味を表す字を重ねたもの（例…**高低**）
ウ 上の字が下の字を修飾しているもの（例…**洋画**）
エ 下の字が上の字の目的語・補語になっているもの（例…**着席**）
オ 上の字が下の字の意味を打ち消しているもの（例…**非常**）

①～⑪の**熟語**は、右の**ア**～**オ**のどれにあたるか、**1つ**選び、**記号**で答えなさい。

① 慰霊（　）
② 悦楽（　）
③ 吉凶（　）
④ 虚実（　）
⑤ 愚問（　）
⑥ 正邪（　）
⑦ 盛衰（　）
⑧ 添削（　）
⑨ 捕鯨（　）
⑩ 未遂（　）
⑪ 免税（　）

5 四字熟語

1問2点　/20

次の**四字熟語**の――線の**カタカナ**を**漢字**に直し、**2字**を書きなさい。

① 彼を疑うなど**ショウシ**千万だ。（　）

② この詩は天衣**ムホウ**の傑《けっ》作だ。（　）

③ **キシ**回生の一打を放った。（　）

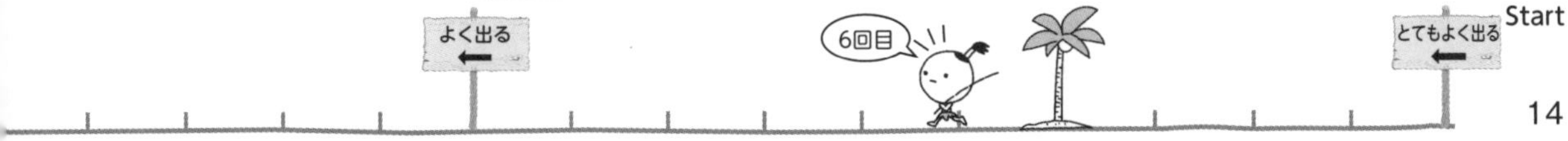

2 同音・同訓異字

次の――線の**カタカナ**にあてはまる漢字をそれぞれの**ア**～**オ**から**1つ**選び、**記号**で答えなさい。

1問2点　/12

① **カン**違いして怒る。（　）
② 勇**カン**な姿を語り継ぐ。（　）
③ 室内を**カン**気する。（　）
（**ア** 勘　**イ** 肝　**ウ** 緩　**エ** 換　**オ** 敢）

④ 庭をほうきで**ハ**く。（　）
⑤ 飛び**ハ**ねるほどうれしい。（　）
⑥ 気持ち悪くて**ハ**く。（　）
（**ア** 掃　**イ** 跳　**ウ** 恥　**エ** 葉　**オ** 吐）

3 類義語

後の[　]の中のひらがなを漢字に直して、**類義語**を作りなさい。[　]の中のひらがなは**1度だけ**使い、**漢字1字**を書きなさい。

1問2点　/10

① 思惑 ― □図
② 辛酸 ― □苦
③ 先導 ― □導
④ 専心 ― □頭
⑤ 期待 ― □望

[い・こん・しょく・ぼっ・ゆう]

---

④ **ヘンゲン**自在に武器を操る。（　）
⑤ 疲労で前後**フカク**になる。（　）
⑥ **コウゲン**令色が見え見えだ。（　）
⑦ 若者が減り、街は**コジョウ**落日だ。（　）
⑧ 彼の話は単純**メイカイ**だ。（　）
⑨ **デンコウ**石火で決着がつく。（　）
⑩ 円転**カツダツ**な話しぶりだ。（　）

6 書き取り

次の――線の**カタカナ**を**漢字**に直しなさい。

1問2点　/16

① 社会**フクシ**事業に従事する。（　）
② こわい**カイダン**を聞いた。（　）
③ **カクウ**の物語と思えない。（　）
④ 作業が**カンリョウ**した。（　）
⑤ **ユエ**に、間違いではない。（　）
⑥ 他国との**サカイ**がある。（　）
⑦ 彼に判断を**マカ**せる。（　）
⑧ 母がスーパーに**ツト**める。（　）

第7回 ミニテスト

とてもよく出る

目標 10 分

月　日

/74点 目標52点

解答：別冊P.10

1 読み

1問1点 /10

次の――線の漢字の読みをひらがなで書きなさい。

① 月の**軌道**は楕《だ》円形だ。（　　）
② 文章の**校閲**を頼む。（　　）
③ 敵と**果敢**に戦う。（　　）
④ **精巧**な人形を目にする。（　　）
⑤ 民に**娯楽**を与える。（　　）
⑥ いとも簡単に人を**欺**く。（　　）
⑦ 合間を**縫**ってメールする。（　　）
⑧ すぐに心が**揺**れる。（　　）
⑨ 世の真理を**悟**った。（　　）
⑩ 大会の参加者を**募**る。（　　）

4 部首

1問1点 /10

次の漢字の**部首**を**ア～エ**から**1つ**選び、**記号**で答えなさい。

① 宴（ア 宀　イ 日　ウ 一　エ 女）（　　）
② 卸（ア 二　イ 止　ウ 卩　エ 丨）（　　）
③ 郭（ア 亠　イ 口　ウ 子　エ 阝）（　　）
④ 癖（ア 疒　イ 尸　ウ 口　エ 辛）（　　）
⑤ 逮（ア 辶　イ 一　ウ 氺　エ 隶）（　　）
⑥ 卓（ア ト　イ 日　ウ 一　エ 十）（　　）
⑦ 遂（ア 豸　イ 一　ウ 豕　エ 辶）（　　）
⑧ 痘（ア 广　イ 疒　ウ 口　エ 豆）（　　）
⑨ 辱（ア 厂　イ 辰　ウ 衣　エ 寸）（　　）
⑩ 封（ア 一　イ 土　ウ 丶　エ 寸）（　　）

5 誤字訂正

1問2点 /16

次の各文にまちがって使われている**同じ読みの漢字**が**1字**あります。**上に誤字**を、**下に正しい漢字**を書きなさい。

誤　正

① 高速道路で自動車が可速する。（　　）［　　］
② 業務回善し仕事の効率を上げる。（　　）［　　］

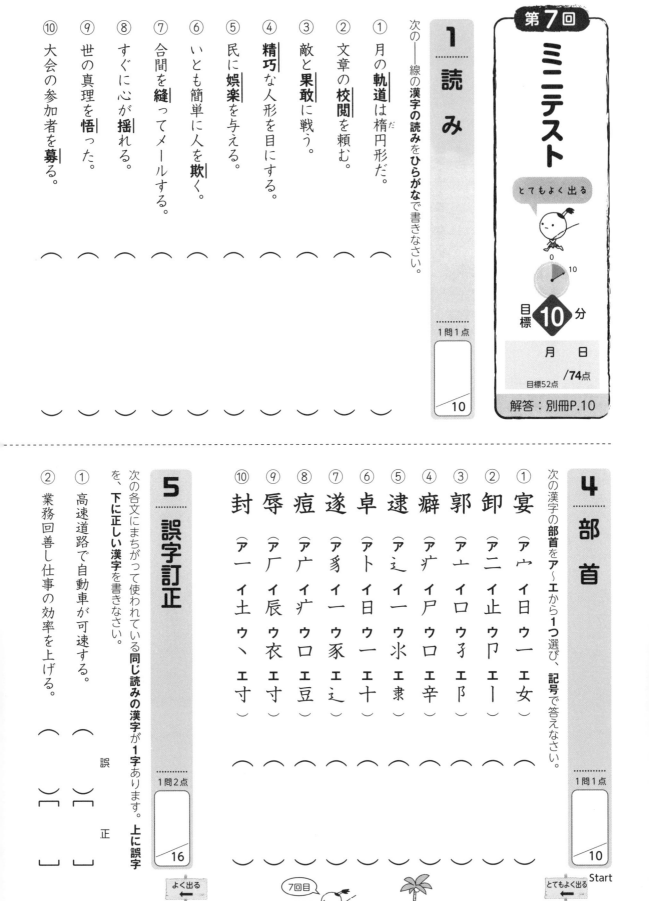

2 同音・同訓異字

1問2点 ／12

次の——線の**カタカナ**にあてはまる漢字をそれぞれの**ア**〜**オ**から**1つ**選び、**記号**で答えなさい。

① 苦情は私が**ウ**け負う。（　）
② 戦場で敵《かたき》を**ウ**つ。（　）
③ 会場が客で**ウ**まった。（　）
（**ア** 埋　**イ** 浮　**ウ** 打　**エ** 請　**オ** 討）

④ 神の**ケイ**示を受ける。（　）
⑤ 会社と**ケイ**約を結ぶ。（　）
⑥ 三年の実**ケイ**を告げる。（　）
（**ア** 刑　**イ** 契　**ウ** 啓　**エ** 携　**オ** 憩）

3 対義語

1問2点 ／10

後の□の中のひらがなを漢字に直して、**対義語**を作りなさい。□の中のひらがなは**1度だけ**使い、**漢字1字**を書きなさい。

① 侵害—□護
② 歓喜—悲□
③ 一般—特□
④ 丁重—□略
⑤ 賢明—暗□

あい・ぐ・しゅ・そ・よう

③ 新商品の解発で厳重に調査する。（　）【　】
④ 新人を起要した映画が成功した。（　）【　】
⑤ 劣勢からの勝利で優終の美を飾る。（　）【　】
⑥ 長期にわたり環境補全に尽力した。（　）【　】
⑦ 倉庫に放致された在庫が売れた。（　）【　】
⑧ 警備員の誘道で駐車した。（　）【　】

6 書き取り

1問2点 ／16

次の——線の**カタカナ**を**漢字**に直しなさい。

① **キップ**を買って電車に乗る。（　）
② 大豆油を**チュウシュツ**する。（　）
③ **アンイ**な決断をする。（　）
④ 双眼鏡で**セイザ**を見る。（　）
⑤ 気が**ユル**んでいる。（　）
⑥ スケート場で**スベ**る。（　）
⑦ 配布資料を**ス**る。（　）
⑧ 多くの**カイコ**を世話する。（　）

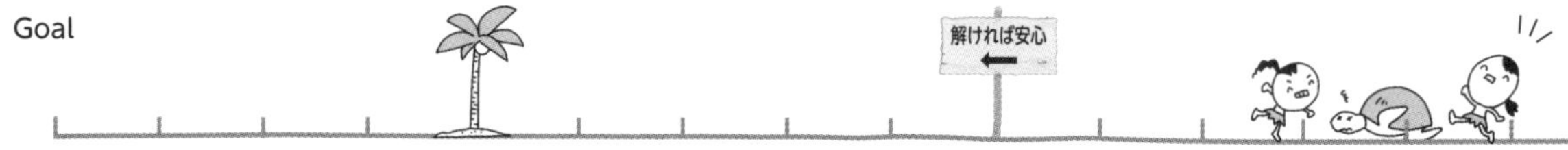

第8回
ミニテスト

とてもよく出る

目標 10 分

月　日

/86点

目標61点

解答：別冊P.10

1 読み

次の――線の**漢字の読み**を**ひらがな**で書きなさい。

1問1点　/10

① 階段を**昇降**する。（　　）
② **抽象**的な話をする。（　　）
③ 盛大に**祝宴**を開く。（　　）
④ 美しい景色に**詠嘆**する。（　　）
⑤ **険阻**な道を進んでいく。（　　）
⑥ 最後までやり**遂**げた。（　　）
⑦ 暗い雲が空を**覆**った。（　　）
⑧ **憩**いの場でくつろぐ。（　　）
⑨ 手にかばんを**提**げる。（　　）
⑩ 歴史を**顧**みて思いにふける。（　　）

4 送りがな

次の――線の**カタカナ**を**漢字1字**と**送りがな（ひらがな）**に直しなさい。

1問2点　/20

① 初めての**ココロミ**だ。（　　）
② 息子に**キビシク**注意する。（　　）
③ 天井から水が**タレル**。（　　）
④ **アブナイ**橋を渡る。（　　）
⑤ 伝達項目を**ツゲル**。（　　）
⑥ 地方都市が**サカエル**。（　　）
⑦ 腹まわりが**コエル**。（　　）
⑧ 兵士が戦いから**シリゾク**。（　　）
⑨ **カシコイ**子に育てる。（　　）
⑩ 布を青色に**ソメル**。（　　）

5 四字熟語

次の**四字熟語**の――線の**カタカナ**を**漢字**に直し、**2字**を書きなさい。

1問2点　/20

① **ムガ**夢中で練習に取り組む。（　　）
② 平身**テイトウ**してわびる。（　　）
③ **ロヘン**談話として知られた演説だ。（　　）

Start　とてもよく出る←　8回目　よく出る←

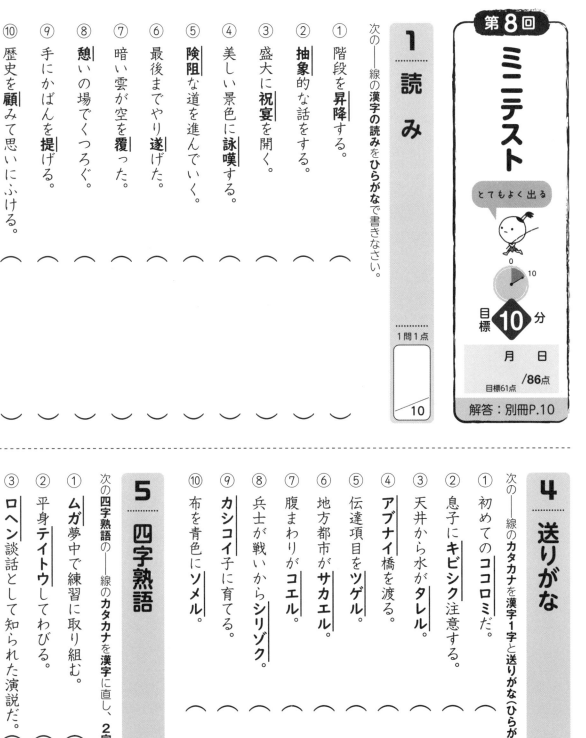

2 漢字識別

1問2点　／10

次の3つの□に**共通する漢字**を入れて熟語を作りなさい。漢字は［　］から**1つ**選び、**記号**で答えなさい。

① 起□・□線・□兵　（　　）

② 消□・絶□・死□　（　　）

③ □気・交□・□金　（　　）

④ 出□・沈□・□落　（　　）

⑤ 円□・□車・□空　（　　）

ア 換	**イ** 演	**ウ** 安	**エ** 没	**オ** 冷
カ 床	**キ** 火	**ク** 伏	**ケ** 滅	**コ** 滑

3 類義語

1問2点　／10

後の［　］の中のひらがなを漢字に直して、**類義語**を作りなさい。［　］の中のひらがなは**1度だけ**使い、**漢字1字**を書きなさい。

① 精勤－勤□

② 憂慮－□配

③ 潤沢－豊□

④ 展示－□列

⑤ 露見－発□

［かく・しん・ちん・ふ・べん］

④ 適者**セイゾン**の法則を心に刻む。　（　　）

⑤ 好調な時こそ**ユダン**大敵だ。　（　　）

⑥ **ナンコウ**不落の城だ。　（　　）

⑦ 因果**オウホウ**な結末だ。　（　　）

⑧ 知らせに**イッキ**一憂する。　（　　）

⑨ **セイコウ**雨読の日々だ。　（　　）

⑩ **メイロウ**快活な人物だ。　（　　）

6 書き取り

1問2点　／16

次の――線の**カタカナ**を**漢字**に直しなさい。

① **タイザイ**を延長した。　（　　）

② ヤギが**サンガク**地帯に暮らす。　（　　）

③ **テツガク**の講義を受ける。　（　　）

④ 夜空に**ホクト**七星を探す。　（　　）

⑤ 王の**カンムリ**が展示される。　（　　）

⑥ 肉体労働を**シ**いる。　（　　）

⑦ レントゲン写真を**ト**る。　（　　）

⑧ 大根を**ワギ**りにする。　（　　）

Goal

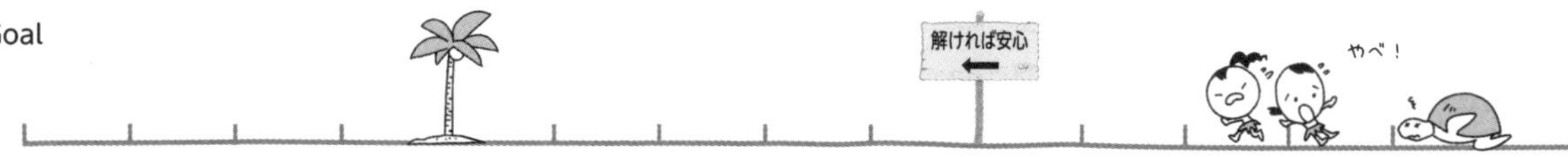

第9回 ミニテスト

目標 10分

月　日

/90点
目標63点

解答：別冊P.10

1 読み

1問1点　/10

次の——線の**漢字の読み**を**ひらがな**で書きなさい。

① レンタル会社と**提携**する。（　　）
② 荒地を**開墾**する。（　　）
③ 大昔に土地が**隆起**した。（　　）
④ **冗漫**な話をじっと聞く。（　　）
⑤ **円滑**な話し合いをする。（　　）
⑥ 悪い敵を**滅**する。（　　）
⑦ 民衆に**施**しを与える。（　　）
⑧ 問題の**穴埋**めをする。（　　）
⑨ みんなで気を引き**締**める。（　　）
⑩ 彼は表現力に**乏**しい。（　　）

4 熟語の構成

1問2点　/22

熟語の構成のしかたには次のようなものがあります。

ア　同じような意味の漢字を重ねたもの　（例…**岩石**）
イ　反対または対応の意味を表す字を重ねたもの　（例…**高低**）
ウ　上の字が下の字を修飾しているもの　（例…**洋画**）
エ　下の字が上の字の目的語・補語になっているもの　（例…**着席**）
オ　上の字が下の字の意味を打ち消しているもの　（例…**非常**）

①～⑪の**熟語**は、右の**ア～オ**のどれにあたるか、**1つ**選び、**記号**で答えなさい。

① 哀歓（　）
② 超越（　）
③ 隔世（　）
④ 錯誤（　）
⑤ 海賊（　）
⑥ 墜落（　）
⑦ 合掌（　）
⑧ 出納（　）
⑨ 撮影（　）
⑩ 潜水（　）
⑪ 未了（　）

5 四字熟語

1問2点　/20

次の**四字熟語**の——線の**カタカナ**を**漢字**に直し、**2字**を書きなさい。

① 三寒**シオン**の季節になる。（　　）
② 言語**ドウダン**な条件だ。（　　）
③ 空前**ゼツゴ**の状況になった。（　　）

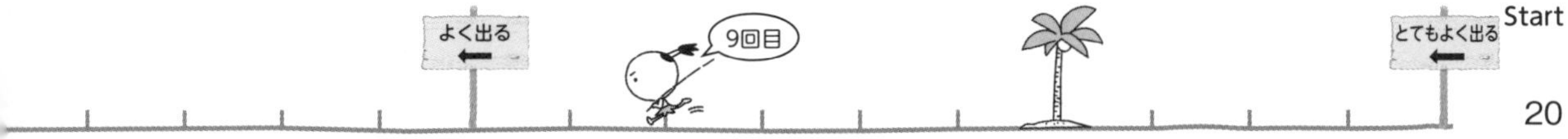

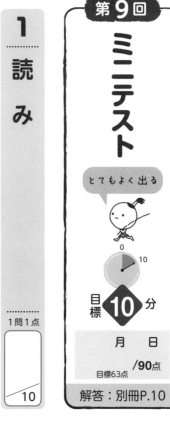

2 同音・同訓異字

次の――線の**カタカナ**にあてはまる漢字をそれぞれの**ア**～**オ**から**1つ**選び、**記号**で答えなさい。

1問2点　/12

① **ク**やんでも仕方ない。（　　）
② **ク**ちた家を修理する。（　　）
③ 必殺技を**ク**り出す。（　　）
（**ア** 悔　**イ** 食　**ウ** 工　**エ** 朽　**オ** 繰）

④ 小判を改**チュウ**した。（　　）
⑤ **チュウ**選に申し込む。（　　）
⑥ 海外に**チュウ**在する。（　　）
（**ア** 忠　**イ** 抽　**ウ** 鋳　**エ** 駐　**オ** 宙）

3 対義語

後の［　］の中のひらがなを漢字に直して、**対義語**を作りなさい。［　］の中のひらがなは**1度だけ**使い、**漢字1字**を書きなさい。

1問2点　/10

① 膨張 ― 収□
② 強情 ― □順
③ 非難 ― 賞□
④ 遅鈍 ― □速
⑤ 独創 ― 模□

［さん・じゅう・しゅく・びん・ほう］

---

④ 敗れて**ジボウ**自棄になる。（　　）
⑤ **キュウテン**直下の状況だ。（　　）
⑥ 刻苦**ベンレイ**により成功した。（　　）
⑦ 異体**ドウシン**の友人たちだ。（　　）
⑧ **ヘイオン**無事な日々を送る。（　　）
⑨ 不老**チョウジュ**の薬を求める。（　　）
⑩ 一部**シジュウ**を見届ける。（　　）

6 書き取り

次の――線の**カタカナ**を**漢字**に直しなさい。

1問2点　/16

① **キョウチュウ**を察する。（　　）
② 車の**メンキョ**を取得する。（　　）
③ 最後まで**ユウカン**に闘う。（　　）
④ 浮世絵を**テンラン**会で見る。（　　）
⑤ **ト**める者が資産を殖やす。（　　）
⑥ 持ち前の**ネバ**りを見せた。（　　）
⑦ **チカヨ**りがたい人だ。（　　）
⑧ 将来を**アヤ**ぶむ。（　　）

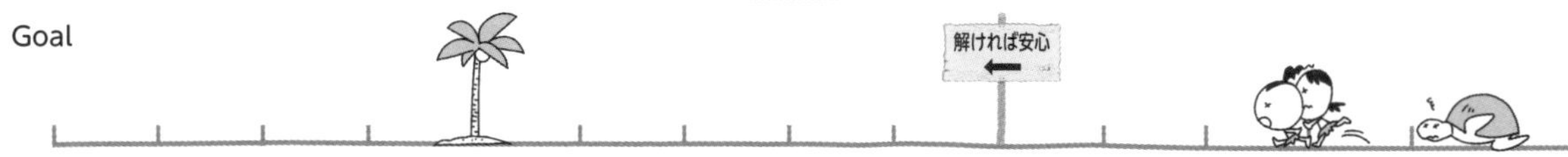

第10回 ミニテスト

とてもよく出る

目標 10分

月　日

/74点

目標52点

解答：別冊P.11

1 読み

次の——線の漢字の読みをひらがなで書きなさい。

1問1点　/10

① 財布のひもを締め**倹約**する。（　　）
② 彼の名声が**失墜**した。（　　）
③ おじが**危篤**との知らせが入る。（　　）
④ 文章を**添削**する。（　　）
⑤ 人生の**辛苦**を味わった。（　　）
⑥ **憂**いを帯びた表情だ。（　　）
⑦ 感情を**抑**えて話す。（　　）
⑧ 予定があっさりと**崩**れる。（　　）
⑨ 玄関のごみを**掃**く。（　　）
⑩ 彼の説明はいつも**粗**い。（　　）

4 部首

次の漢字の部首を**ア～エ**から**1つ**選び、**記号**で答えなさい。

1問1点　/10

① 遭（ア 辶　イ 一　ウ 十　エ 日）（　　）
② 孔（ア 一　イ 子　ウ 亅　エ し）（　　）
③ 克（ア 十　イ 口　ウ ノ　エ 儿）（　　）
④ 冠（ア 冖　イ 二　ウ 儿　エ 寸）（　　）
⑤ 虐（ア ト　イ 匚　ウ 虍　エ 广）（　　）
⑥ 暫（ア 車　イ 斤　ウ 日　エ 口）（　　）
⑦ 卑（ア ノ　イ 田　ウ 十　エ 一）（　　）
⑧ 彫（ア 冂　イ 土　ウ 口　エ 彡）（　　）
⑨ 魔（ア 广　イ 木　ウ 鬼　エ 厶）（　　）
⑩ 帝（ア 亠　イ 冖　ウ 巾　エ 立）（　　）

5 誤字訂正

次の各文にまちがって使われている**同じ読みの漢字**が**1字**あります。**上に誤字**を、**下に正しい漢字**を書きなさい。

1問2点　/16

誤　正

① 民族が大異動した理由は不明だ。（　　）［　　］
② 味方を援後して敵軍を打破した。（　　）［　　］

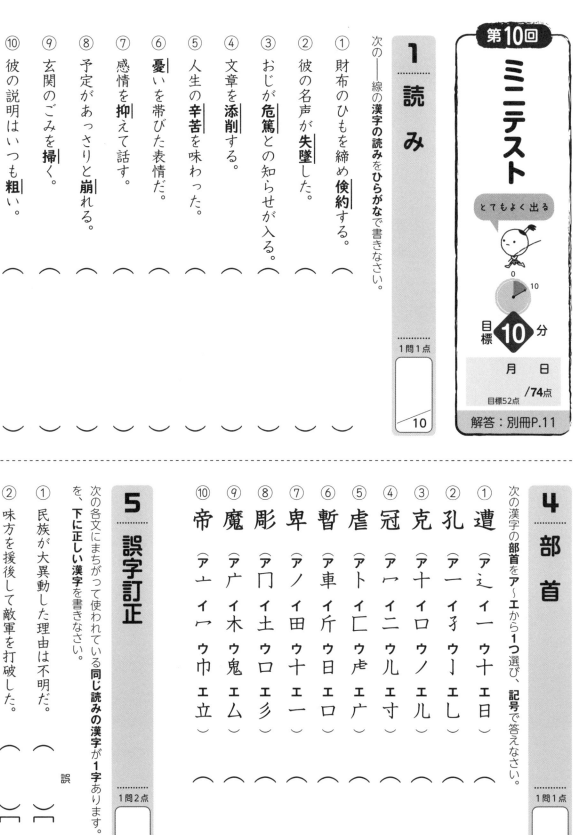

2 同音・同訓異字

1問2点　／12

次の――線のカタカナにあてはまる漢字をそれぞれのア〜オから１つ選び、記号で答えなさい。

① ゲリラを**チン**圧する。（　　）
② 入荷した商品を**チン**列する。（　　）
③ 犯人が**チン**黙する。（　　）
（ア 鎮　イ 陳　ウ 賃　エ 珍　オ 沈）

④ **ボウ**略にはまり信用が落ちる。（　　）
⑤ 耐**ボウ**生活を経験した。（　　）
⑥ 予算が**ボウ**張する。（　　）
（ア 乏　イ 謀　ウ 膨　エ 房　オ 妨）

3 類義語

1問2点　／10

後の［　］の中のひらがなを漢字に直して、**類義語**を作りなさい。［　］の中のひらがなは**１度だけ**使い、**漢字１字**を書きなさい。

① 追想 ― 回□
② 怠慢 ― 横□
③ 屈指 ― □群
④ 合点 ― 納□
⑤ 浮沈 ― 起□

［こ・ちゃく・とく・ばつ・ふく］

---

③ 職員の好判断が攻果を見せた。（　　）〔　　〕
④ 特別な洗料を使用した布地だ。（　　）〔　　〕
⑤ 模造品や複製画が転示された。（　　）〔　　〕
⑥ 当初の日定が合わず中止する。（　　）〔　　〕
⑦ 不具合が確認され前後策を講ずる。（　　）〔　　〕
⑧ 地域医療の再生に労力を様する。（　　）〔　　〕

6 書き取り

1問2点　／16

次の――線の**カタカナ**を**漢字**に直しなさい。

① プロ野球が**カイマク**する。（　　）
② 食品を**レイトウ**保存する。（　　）
③ 業績の**イジ**に努める。（　　）
④ 写真が**カサク**に選ばれた。（　　）
⑤ 変装して人目を**アザム**く。（　　）
⑥ 船から**クジラ**を観察した。（　　）
⑦ **ヤサ**しい問題だと言える。（　　）
⑧ 友との別れを**オ**しむ。（　　）

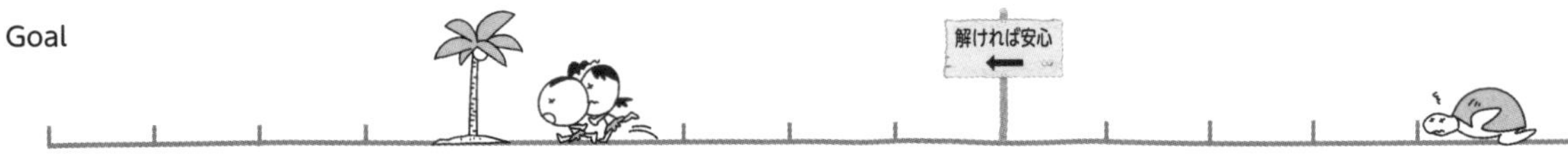

第11回 ミニテスト

よく出る

0 10

目標 **10** 分

月　　日

/86点

目標61点

解答：別冊P.11

1 読み

次の——線の**漢字の読み**を**ひらがな**で書きなさい。

1問1点　/10

① 窓際で資料を**閲覧**する。（　　）
② **悔恨**の情がにじみ出る。（　　）
③ **潔癖**な性格の人がいる。（　　）
④ 上品な**香炉**を買う。（　　）
⑤ 長年の**雪辱**を果たす。（　　）
⑥ 作戦の**概要**を伝える。（　　）
⑦ 英語を日本語に**翻訳**する。（　　）
⑧ 多くの人を**雇**う。（　　）
⑨ トラブルで仕事が**滞**る。（　　）
⑩ 担当者が現地に**赴**く。（　　）

4 送りがな

次の——線の**カタカナ**を**漢字1字**と**送りがな（ひらがな）**に直しなさい。

1問2点　/20

① これまでの**ムクイ**を受ける。（　　）
② ご飯を**タイラゲル**。（　　）
③ **ホガラカナ**性格を好む。（　　）
④ 朝から畑を**タガヤス**。（　　）
⑤ おかしな態度を**アラタメル**。（　　）
⑥ 真実かどうかを**タシカメル**。（　　）
⑦ **スミヤカニ**部屋を出た。（　　）
⑧ 配置が上下**サカサ**だ。（　　）
⑨ 形あるものは必ず**メッスル**。（　　）
⑩ 工夫を**コラス**。（　　）

5 四字熟語

次の**四字熟語**の——線の**カタカナ**を**漢字**に直し、**2字**を書きなさい。

1問2点　/20

① これで一件**ラクチャク**だ。（　　）
② 単刀**チョクニュウ**に話す。（　　）
③ 常に**フンレイ**努力する。（　　）

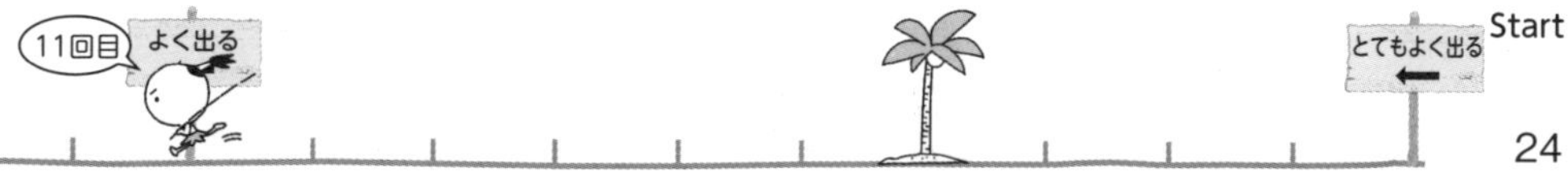

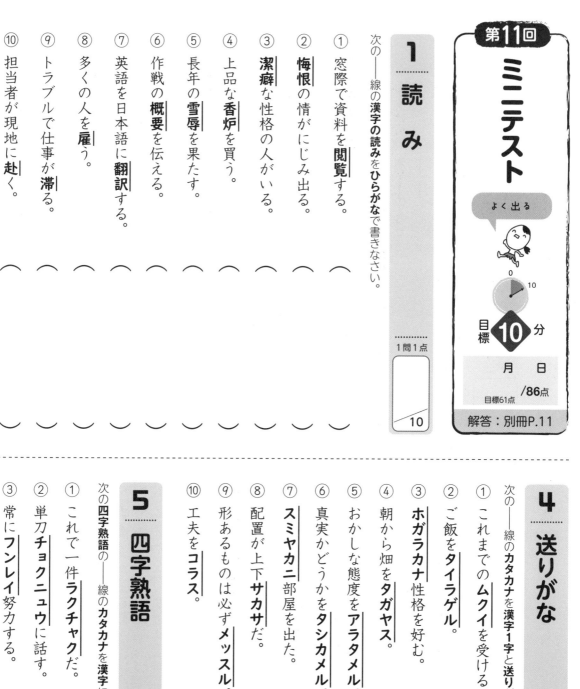

2 漢字識別

次の3つの□に**共通する漢字**を入れて熟語を作りなさい。漢字は［　］から**1つ**選び、**記号**で答えなさい。

1問2点　／10

① 空□・□無・□実（　　）
② 開□・主□・□事（　　）
③ □許・□罪・放□（　　）
④ □渡・分□・□歩（　　）
⑤ □除・清□・一□（　　）

ア 特	**イ** 譲	**ウ** 掃	**エ** 解	**オ** 担
カ 間	**キ** 発	**ク** 虚	**ケ** 催	**コ** 免

3 対義語

後の［　］の中のひらがなを漢字に直して、**対義語**を作りなさい。［　］の中のひらがなは**1度だけ**使い、**漢字1字**を書きなさい。

1問2点　／10

① 具体―□象
② 分裂―□一
③ 豊富―欠□
④ 修繕―破□
⑤ 邪悪―□良

［そん・ぜん・ちゅう・とう・ぼう］

---

④ 彼と出会えて**カンガイ**無量だ。（　　）
⑤ **トクイ**満面の笑みだ。（　　）
⑥ 課題解決に悪戦**クトウ**する。（　　）
⑦ 展覧会で入賞し**ジガ**自賛する。（　　）
⑧ **ゼント**有望な後輩に期待する。（　　）
⑨ 大器**バンセイ**すると言われる。（　　）
⑩ 離合**シュウサン**が繰り返される。（　　）

6 書き取り

次の――線の**カタカナ**を**漢字**に直しなさい。

1問2点　／16

① 恐ろしい**ギョウソウ**だ。（　　）
② おみくじで**キョウ**が出た。（　　）
③ 日本国**ケンポウ**について学ぶ。（　　）
④ 渡す品を**ゲンセン**する。（　　）
⑤ 大罪人を**サバ**く。（　　）
⑥ 冷静に**ヒヨリ**を見る。（　　）
⑦ 黒幕は彼女だと**ウタガ**う。（　　）
⑧ 彼がどうしても**ニク**い。（　　）

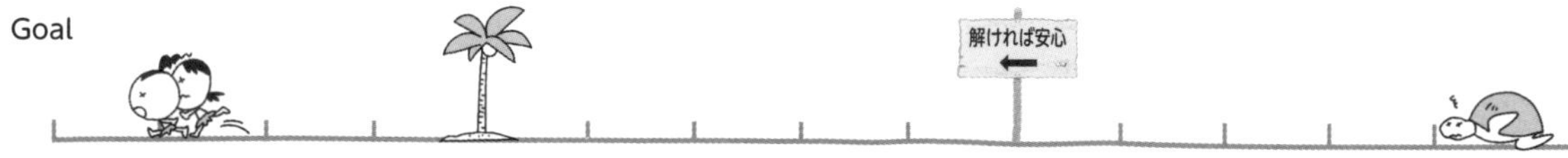

第12回

ミニテスト

よく出る

目標 10 分

月　日

/90点　目標63点

解答：別冊P.11

1 読み

次の——線の**漢字の読み**を**ひらがな**で書きなさい。

1問1点　/10

① 弟子が**闘魂**をみなぎらせる。（　　）
② **山岳**ガイドをたのむ。（　　）
③ 外国で**免税**店に入る。（　　）
④ ある画家に**陶酔**する。（　　）
⑤ **輪郭**をはっきりさせる。（　　）
⑥ 水道代を**滞納**する。（　　）
⑦ 昨日の試合で**惜敗**した。（　　）
⑧ **朗**らかな性格をしている。（　　）
⑨ 土の**塊**を放り投げる。（　　）
⑩ 服と服が**擦**れる。（　　）

4 熟語の構成

熟語の構成のしかたには次のようなものがあります。

1問2点　/22

ア　同じような意味の漢字を重ねたもの（例…**岩石**）
イ　反対または対応の意味を表す字を重ねたもの（例…**高低**）
ウ　上の字が下の字を修飾しているもの（例…**洋画**）
エ　下の字が上の字の目的語・補語になっているもの（例…**着席**）
オ　上の字が下の字の意味を打ち消しているもの（例…**非常**）

①～⑪の**熟語**は、右の**ア**～**オ**のどれにあたるか、**1つ**選び、**記号**で答えなさい。

① 緩急（　　）
② 粗密（　　）
③ 討伐（　　）
④ 疾走（　　）
⑤ 不審（　　）
⑥ 幼稚（　　）
⑦ 未完（　　）
⑧ 鼻孔（　　）
⑨ 起伏（　　）
⑩ 遵法（　　）
⑪ 岐路（　　）

5 四字熟語

次の**四字熟語**の——線の**カタカナ**を**漢字**に直し、**2字**を書きなさい。

1問2点　/20

① **カチョウ**風月に感動する。（　　）
② **コウウン**流水の生活を送る。（　　）
③ **コウシ**混同をたしなめる。（　　）

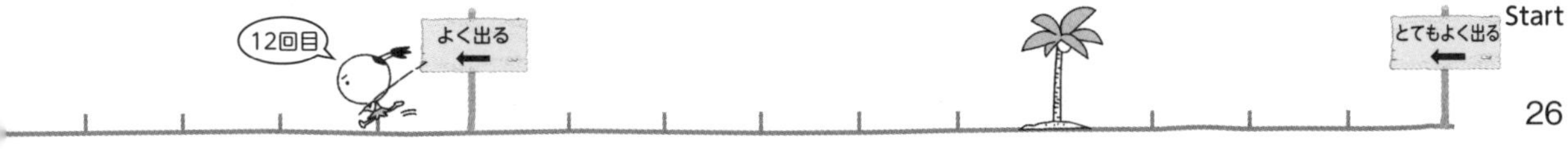

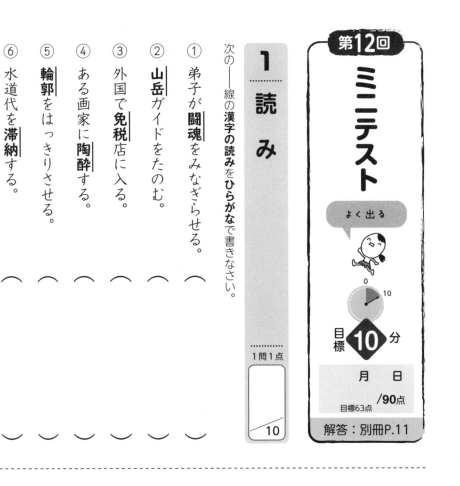

2　同音・同訓異字

次の——線の**カタカナ**にあてはまる漢字をそれぞれの**ア～オ**から**1つ**選び、**記号**で答えなさい。

1問2点　/12

① **カン**心なことを言い忘れる。（　）
② 栄**カン**を手に入れる。（　）
③ 情景を**カン**起させる。（　）
（**ア** 冠　**イ** 喚　**ウ** 勧　**エ** 肝　**オ** 幹）

④ お相**バン**にあずかる。（　）
⑤ 男が**バン**声を上げる。（　）
⑥ 彼は昔から**バン**能だ。（　）
（**ア** 伴　**イ** 蛮　**ウ** 盤　**エ** 晩　**オ** 万）

3　類義語

後の［　］の中のひらがなを漢字に直して、**類義語**を作りなさい。［　］の中のひらがなは**1度だけ**使い、**漢字1字**を書きなさい。

1問2点　/10

① 風情－□情
② 良否－□非
③ 勧賞－激□
④ 辛抱－我□
⑤ 音信－□息

［しょう・ぜ・まん・よ・れい］

---

④ 失望**ラクタン**の彼に話を聞く。（　）
⑤ 思慮**フンベツ**をわきまえる。（　）
⑥ 針小**ボウダイ**に話しがちだ。（　）
⑦ **ソウイ**工夫して対処する。（　）
⑧ **ヒガン**達成まで手を抜かない。（　）
⑨ そのやり方は本末**テントウ**だ。（　）
⑩ **リンキ**応変に物事を進める。（　）

6　書き取り

次の——線の**カタカナ**を**漢字**に直しなさい。

1問2点　/16

① 丸太を**スイチョク**に立てる。（　）
② **ケンメイ**な選択をする。（　）
③ 負けた**ヨウイン**を探る。（　）
④ **ソウチ**を取り付ける。（　）
⑤ 北陸の海に**モグ**る。（　）
⑥ 引っ張って**ノ**ばす。（　）
⑦ 焼きすぎて黒**コ**げになる。（　）
⑧ ふところが**ウルオ**った。（　）

Goal

解ければ安心 ←

第13回 ミニテスト

よく出る

目標 10 分

月　日

/74点 目標52点

解答：別冊P.12

1 読み

1問1点　/10

次の——線の**漢字の読み**を**ひらがな**で書きなさい。

① 支払いの**催促**をする。（　　）
② 病人が**雑炊**を食べる。（　　）
③ これを**契機**に成長する。（　　）
④ 彼のことを**束縛**する。（　　）
⑤ **卓抜**した知見を持つ。（　　）
⑥ **愚問**に答える時間はない。（　　）
⑦ 昔の歌を**朗詠**する。（　　）
⑧ 池の水が**干上**がる。（　　）
⑨ 会社の**旗揚**げをする。（　　）
⑩ **仕掛**け人に任命される。（　　）

4 部首

1問1点　/10

次の漢字の**部首**を**ア～エ**から**1つ**選び、**記号**で答えなさい。

① 礎（ア ロ　イ 石　ウ 木　エ 疋）（　　）
② 概（ア 忄　イ 艮　ウ 旡　エ 儿）（　　）
③ 虚（ア ト　イ 七　ウ 虍　エ 广）（　　）
④ 遵（ア 辶　イ 一　ウ 口　エ 寸）（　　）
⑤ 斥（ア ノ　イ 丨　ウ 丶　エ 斤）（　　）
⑥ 畜（ア 亠　イ 玄　ウ 幺　エ 田）（　　）
⑦ 蛮（ア 亠　イ 廾　ウ 口　エ 虫）（　　）
⑧ 慕（ア 艹　イ 㣺　ウ 大　エ 日）（　　）
⑨ 雇（ア 一　イ ノ　ウ 戸　エ 隹）（　　）
⑩ 励（ア 厂　イ 方　ウ 刀　エ 力）（　　）

5 誤字訂正

1問2点　/16

次の各文にまちがって使われている**同じ読みの漢字**が**1字**あります。**上に誤字**を、**下に正しい漢字**を書きなさい。

（誤）［正］

① 大雪で高速道路に規正がかかる。（　　）［　　］
② 需要と供及が一致し満足度が高まる。（　　）［　　］

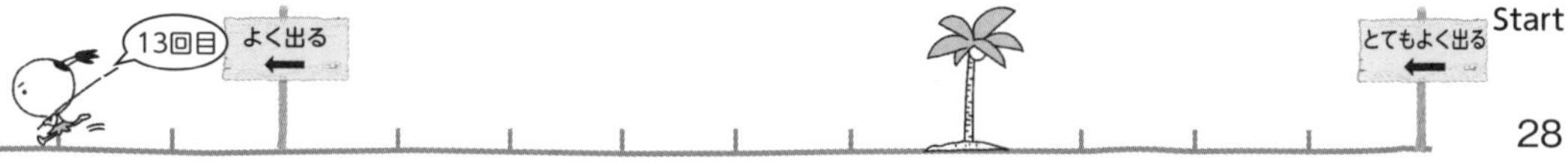

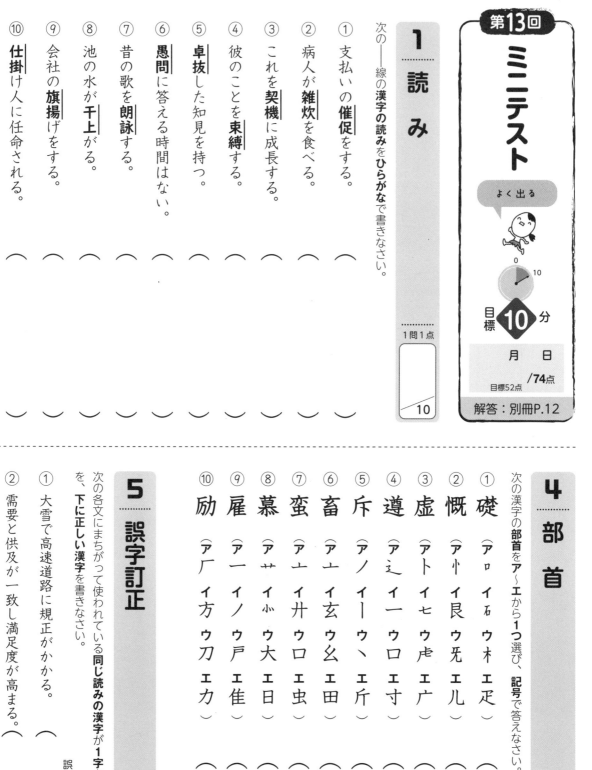

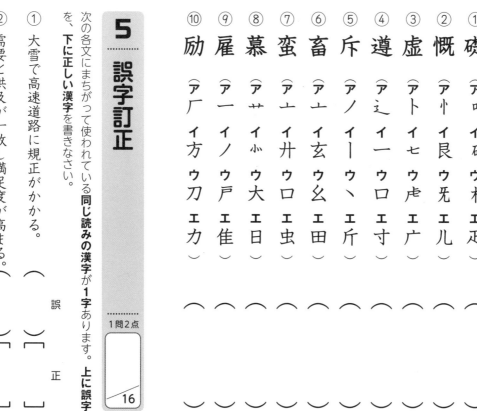

2 同音・同訓異字

1問2点　／12

次の――線のカタカナにあてはまる漢字をそれぞれの**ア**～**オ**から**1つ**選び、**記号**で答えなさい。

① 自分の限界を**コ**える。（　）
② 目を**コ**らして見つめる。（　）
③ 目玉焼きを**コ**がす。（　）

（**ア** 凝　**イ** 来　**ウ** 超　**エ** 混　**オ** 焦）

④ **ジョウ**漫な文章だ。（　）
⑤ **ジョウ**剤を服用する。（　）
⑥ 土地を**ジョウ**与する。（　）

（**ア** 丈　**イ** 冗　**ウ** 錠　**エ** 譲　**オ** 乗）

3 対義語

1問2点　／10

後の□の中のひらがなを漢字に直して、**対義語**を作りなさい。□の中のひらがなは**1度だけ**使い、**漢字1字**を書きなさい。

① 老練 ― 幼□
② 難解 ― 平□
③ 繁栄 ― □落
④ 強固 ― □弱
⑤ 鎮静 ― 興□

い・ち・にゅう・ふん・ぼつ

③ 知恵を駆使し混難な状況に対処する。（　）【　】
④ 人心を手中に収め兵を買いならす。（　）【　】
⑤ 無断での複製は処罰の対称だ。（　）【　】
⑥ 善戦したが準決勝で試合に破れた。（　）【　】
⑦ 民族紛走の解決に有志が介入した。（　）【　】
⑧ 一定の水域で幼殖を始める。（　）【　】

6 書き取り

1問2点　／16

次の――線の**カタカナ**を**漢字**に直しなさい。

① **ケンヤク**して貯金する。（　）
② 父の死後 **コウテイ**の座につく。（　）
③ **ゴラク**施設がそろっている。（　）
④ いつも**シュクシャ**に泊まる。（　）
⑤ 元気の**ミナモト**は何か。（　）
⑥ 重い言葉を**ハナ**つ。（　）
⑦ 相手に負けて**シリゾ**いた。（　）
⑧ 新しい**セビロ**を買う。（　）

第14回 ミニテスト

よく出る

0 10

目標 10 分

月　日

/86点

目標61点

解答：別冊P.12

1 読み

次の――線の**漢字の読み**を**ひらがな**で書きなさい。

1問1点　/10

① **怠慢**な態度を注意する。（　）
② **暫時**、休憩する。（　）
③ 寺の**修繕**が必要だ。（　）
④ 日々、**鍛錬**をする。（　）
⑤ 重要な会談が**決裂**した。（　）
⑥ **濃紺**のシャツを着る。（　）
⑦ **概算**で見積りを出す。（　）
⑧ 大きな川に橋を**架**ける。（　）
⑨ **絞**り染めの着物を買う。（　）
⑩ 命題として**掲**げる。（　）

4 送りがな

次の――線の**カタカナ**を**漢字1字**と**送りがな（ひらがな）**に直しなさい。

1問2点　/20

① 夫のミスを**セメル**。（　）
② 少年が**スコヤカニ**育つ。（　）
③ 妻と息子を**ヤシナウ**。（　）
④ 大通りを**ハズレ**た店で会う。（　）
⑤ 集団を**ヒキイ**て進む。（　）
⑥ 体をうしろへ**ソラス**。（　）
⑦ 厳しいルールを**モウケル**。（　）
⑧ 学者が天動説を**トナエル**。（　）
⑨ 政界進出を**クワダテル**。（　）
⑩ **ユルヤカナ**流れの川。（　）

5 四字熟語

次の**四字熟語**の――線の**カタカナ**を**漢字**に直し、**2字**を書きなさい。

1問2点　/20

① 新学期で**シンキ**一転する。（　）
② 手助けは迷惑**センバン**だ。（　）
③ 大同**ショウイ**の意見ばかりだ。（　）

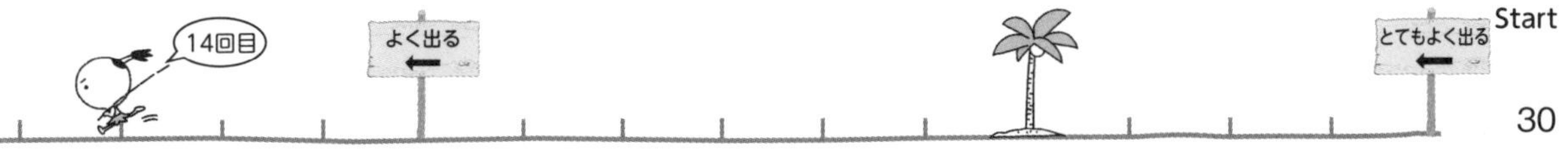

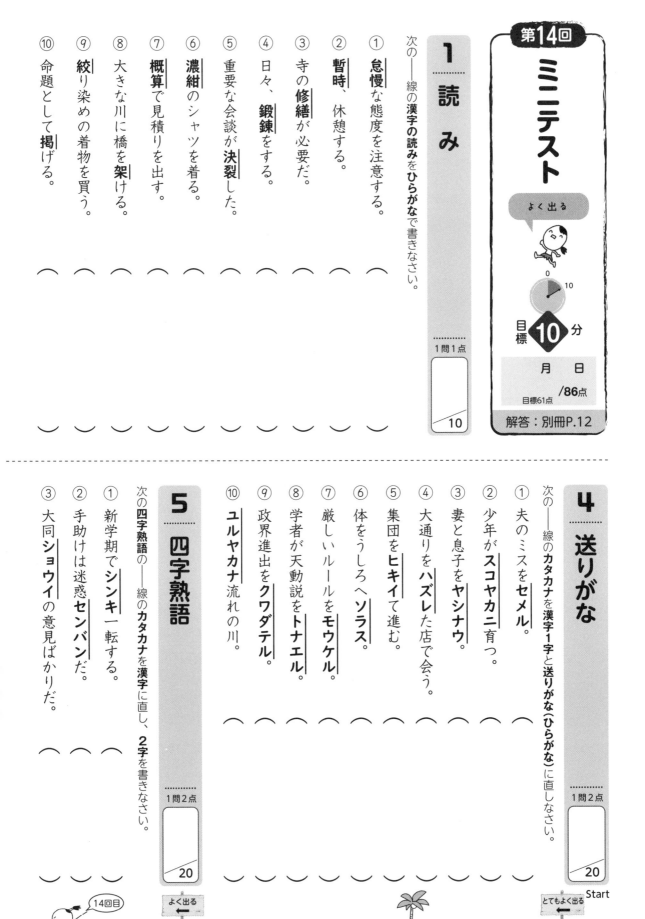

2 漢字識別

次の３つの□に**共通する漢字**を入れて熟語を作りなさい。漢字は[ ]から**1つ**選び、**記号**で答えなさい。

1問2点　/10

① □児・□動・受□　（　　）
② □谷・□玄・□界　（　　）
③ 恩□・□免・大□　（　　）
④ □電・□失・脱□　（　　）
⑤ □査・□判・主□　（　　）

ア 胎	**イ** 幽	**ウ** 幼	**エ** 恵	**オ** 審
カ 調	**キ** 節	**ク** 峡	**ケ** 赦	**コ** 漏

3 類義語

後の[ ]の中のひらがなを漢字に直して、**類義語**を作りなさい。[ ]の中のひらがなは**1度だけ**使い、**漢字1字**を書きなさい。

1問2点　/10

① 出納―□支
② 重体―危□
③ 成就―□成
④ 投降―降□
⑤ 脱落―欠□

[さん・しゅう・じょ・たっ・とく]

---

④ **アンウン**低迷の空気に覆われる。（　　）
⑤ 組織の新陳**タイシャ**を図る。（　　）
⑥ 将軍が独断**センコウ**する。（　　）
⑦ 儀式の故事**ライレキ**を調べる。（　　）
⑧ 朝まで**ギロン**百出が続いた。（　　）
⑨ 玉石**コンコウ**の人員たちだ。（　　）
⑩ **メイキョウ**止水の境地だ。（　　）

6 書き取り

次の――線の**カタカナ**を**漢字**に直しなさい。

1問2点　/16

① 事実が**ハッカク**する。（　　）
② 不都合な文言が**サクジョ**された。（　　）
③ ドラマの**シチョウ**率が低迷した。（　　）
④ 声が読書の**ジャマ**になる。（　　）
⑤ 湖水が**ヒア**がった。（　　）
⑥ **スミ**やかに移動する。（　　）
⑦ **ウラミチ**を通っていく。（　　）
⑧ 首がだらりと**タ**れる。（　　）

Goal

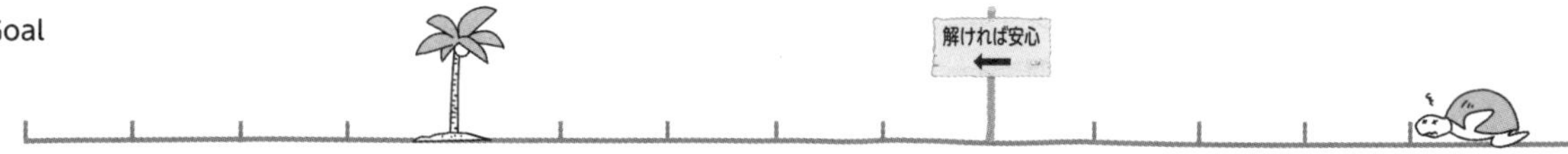

第15回 ミニテスト

よく出る

目標 10 分

月　日

/90点
目標63点

解答：別冊P.12

1 読み

次の——線の**漢字の読み**を**ひらがな**で書きなさい。

1問1点　/10

① 高校生が**虚勢**をはる。（　　）
② **穏便**に物事を進める。（　　）
③ **覚悟**を決めて進む。（　　）
④ **焦点**が定まらない。（　　）
⑤ 人の流れが**滞留**する。（　　）
⑥ **湖畔**の宿に泊まる。（　　）
⑦ **既定**の方針に従った。（　　）
⑧ 同じことをして**飽**きる。（　　）
⑨ みごとに罪を**裁**いた。（　　）
⑩ 老人に席を**譲**った。（　　）

4 熟語の構成

熟語の構成のしかたには次のようなものがあります。

ア　同じような意味の漢字を重ねたもの　（例…**岩石**）
イ　反対または対応の意味を表す字を重ねたもの　（例…**高低**）
ウ　上の字が下の字を修飾しているもの　（例…**洋画**）
エ　下の字が上の字の目的語・補語になっているもの　（例…**着席**）
オ　上の字が下の字の意味を打ち消しているもの　（例…**非常**）

①～⑪の**熟語**は、右の**ア～オ**のどれにあたるか、**1つ**選び、**記号**で答えなさい。

1問2点　/22

① 金塊（　　）
② 基礎（　　）
③ 締結（　　）
④ 減刑（　　）
⑤ 摂取（　　）
⑥ 検尿（　　）
⑦ 登壇（　　）
⑧ 隠匿（　　）
⑨ 除湿（　　）
⑩ 未知（　　）
⑪ 後悔（　　）

5 四字熟語

次の**四字熟語**の——線の**カタカナ**を**漢字**に直し、**2字**を書きなさい。

1問2点　/20

① アイデアが雲散**ムショウ**した。（　　）
② 意気**ショウテン**の勢いがある。（　　）
③ 私は疑心**アンキ**におちいった。（　　）

Start
とてもよく出る
よく出る

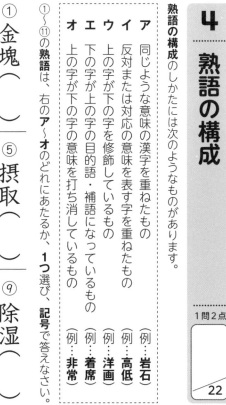

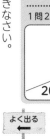

2　同音・同訓異字

1問2点　／12

次の――線の**カタカナ**にあてはまる漢字をそれぞれの**ア～オ**から**1つ**選び、**記号**で答えなさい。

① タオルを**ホ**した。（　　）
② 船の**ホ**を張る。（　　）
③ 偉人の像を**ホ**る。（　　）
（**ア** 干　**イ** 帆　**ウ** 彫　**エ** 掘　**オ** 保）

④ 塔に**ユウ**閉された。（　　）
⑤ 同**ユウ**の士と語らう。（　　）
⑥ 英**ユウ**が現れた。（　　）
（**ア** 幽　**イ** 勇　**ウ** 憂　**エ** 雄　**オ** 優）

3　対義語

1問2点　／10

後の［　］の中のひらがなを漢字に直して、**対義語**を作りなさい。［　］の中のひらがなは**1度だけ**使い、**漢字1字**を書きなさい。

① 率先 ― 追□
② 卑下 ― □大
③ 粗略 ― □重
④ 抑制 ― □進
⑤ 却下 ― 受□

［ずい・そく・そん・てい・り］

---

④ 容姿**タンレイ**な女性を集める。（　　）
⑤ **マンゲン**放語に惑わされる。（　　）
⑥ 事実**ムコン**のうわさが広まる。（　　）
⑦ 生殺**ヨダツ**の権を握る。（　　）
⑧ 同床**イム**の二人だ。（　　）
⑨ 敵を**イットウ**両断する。（　　）
⑩ 好機**トウライ**を喜ぶ。（　　）

6　書き取り

1問2点　／16

次の――線の**カタカナ**を**漢字**に直しなさい。

① **シンピ**的な風景だ。（　　）
② 住宅地に熊が**シュツボツ**する。（　　）
③ **セイオウ**の文化にあこがれる。（　　）
④ 会議の場が**コンラン**する。（　　）
⑤ 相手先に**ヒラアヤマ**りする。（　　）
⑥ **アズキ**を長く煮込む。（　　）
⑦ **ミサカイ**なく話しかける。（　　）
⑧ わが子を抱き**シ**める。（　　）

第16回

ミニテスト

よく出る

目標 10分

月　日

/74点　目標52点

解答：別冊P.13

1 読み

1問1点　/10

次の――線の**漢字の読み**を**ひらがな**で書きなさい。

① 歴史を**回顧**する。（　　）
② プロジェクトが**停滞**する。（　　）
③ 牛乳を**発酵**させる。（　　）
④ これまでの**軌跡**を語る。（　　）
⑤ 有名な貴族が**零落**した。（　　）
⑥ **魂胆**を見透かす。（　　）
⑦ 演技で**魅了**する。（　　）
⑧ 機械を**巧**みに操る。（　　）
⑨ 職人が仏像を**彫**る。（　　）
⑩ 両親を**慕**っている。（　　）

4 部首

1問1点　/10

次の漢字の**部首**を**ア〜エ**から**1つ**選び、**記号**で答えなさい。

① 敢（ア 二　イ 耳　ウ 攵　エ 又）（　　）
② 喫（ア 口　イ 王　ウ 刀　エ 大）（　　）
③ 疾（ア 疒　イ 广　ウ 冫　エ 矢）（　　）
④ 衰（ア 亠　イ 口　ウ 一　エ 衣）（　　）
⑤ 契（ア 丰　イ 王　ウ 刀　エ 大）（　　）
⑥ 掌（ア ⺍　イ 冖　ウ 口　エ 手）（　　）
⑦ 貫（ア 一　イ 毋　ウ 貝　エ 目）（　　）
⑧ 罰（ア 覀　イ 罒　ウ 言　エ 刂）（　　）
⑨ 某（ア 一　イ 日　ウ 甘　エ 木）（　　）
⑩ 街（ア ノ　イ 彳　ウ 土　エ 行）（　　）

5 誤字訂正

1問2点　/16

次の各文にまちがって使われている**同じ読みの漢字**が**1字**あります。**上に誤字**を、**下に正しい漢字**を書きなさい。

誤　正

① 病状が悪化し、医療機官を訪ねた。（　　）［　　］
② 講援の話題を依頼者に指定された。（　　）［　　］

Start　とてもよく出る ←　よく出る ←

2 同音・同訓異字

1問2点　／12

次の――線の**カタカナ**にあてはまる漢字をそれぞれの**ア**～**オ**から**1つ**選び、**記号**で答えなさい。

① 胸**カク**を損傷する。（　　）
② 間**カク**を空けて並べる。（　　）
③ 収**カク**の多い講義だ。（　　）
（**ア** 拡　**イ** 郭　**ウ** 革　**エ** 隔　**オ** 穫）

④ **リョウ**墓をしらべる。（　　）
⑤ どういう**リョウ**見だ。（　　）
⑥ 象の密**リョウ**が行われる。（　　）
（**ア** 猟　**イ** 陵　**ウ** 了　**エ** 療　**オ** 量）

3 類義語

1問2点　／10

後の[　]の中のひらがなを漢字に直して、**類義語**を作りなさい。[　]の中のひらがなは**1度だけ**使い、**漢字1字**を書きなさい。

① 肝要－大□
② 明哲－□明
③ 廉価－□値
④ 永遠－□久
⑤ 平定－□圧

[けん・こう・せつ・ちん・やす]

③ 背広を新潮して成人式に向かう。（　　）[　　]
④ 政作には矛盾が散見される。（　　）[　　]
⑤ この建築の説計思想は興味深い。（　　）[　　]
⑥ 突発的な事態にも混乱せず対所する。（　　）[　　]
⑦ 技術に定表のある職人が制作する。（　　）[　　]
⑧ 天光不順で体育祭が延期された。（　　）[　　]

6 書き取り

1問2点　／16

次の――線の**カタカナ**を**漢字**に直しなさい。

① 仲間を家に**ショウタイ**する。（　　）
② 人に**ショウテン**を合わせて撮る。（　　）
③ **トウブン**を少なくする。（　　）
④ 彼の説明で**ナットク**した。（　　）
⑤ 桜の**ナエギ**を植える。（　　）
⑥ 商品を**フクロ**に入れて渡す。（　　）
⑦ 犯人に**オド**されて金を奪われた。（　　）
⑧ 現実は**スジガ**きと違った。（　　）

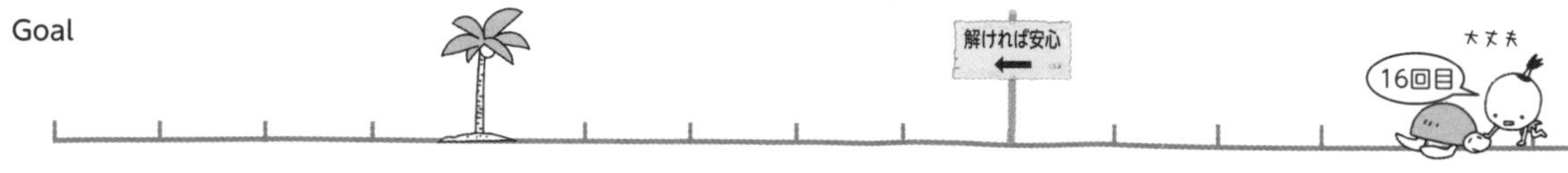

第17回 ミニテスト

よく出る

目標 10 分

月　日

/86点

目標61点

解答：別冊P.13

1 読み

次の——線の**漢字の読み**を**ひらがな**で書きなさい。

1問1点　/10

① 電車の事故に**遭遇**する。（　）
② 海外旅行を**満喫**した。（　）
③ **暫定**的に計画を進める。（　）
④ 絵が**佳作**に入選した。（　）
⑤ ワックスを**塗布**する。（　）
⑥ **容赦**せず批判する。（　）
⑦ 自分の息子を**擁護**する。（　）
⑧ 足を限界まで**鍛**える。（　）
⑨ **愚**かな行動だったと思う。（　）
⑩ ひもをきつく**結**ぶ。（　）

4 送りがな

次の——線の**カタカナ**を**漢字1字**と**送りがな（ひらがな）**に直しなさい。

1問2点　/20

① **タダチニ**避難する。（　）
② 事実に**モトヅイ**て決める。（　）
③ 友の短所を**オギナウ**。（　）
④ 火花を**チラス**。（　）
⑤ 急にほめられて**テレル**。（　）
⑥ **カロヤカナ**ステップだ。（　）
⑦ **キヨラカナ**心の人だ。（　）
⑧ 我が身を**カエリミル**。（　）
⑨ ゲーム製作に**タズサワル**。（　）
⑩ 友人を**ハゲマス**。（　）

5 四字熟語

次の**四字熟語**の——線の**カタカナ**を**漢字**に直し、**2字**を書きなさい。

1問2点　/20

① 彼と意気**トウゴウ**した。（　）
② **ユウジュウ**不断な性格だ。（　）
③ **イッキョ**両得の結果となった。（　）

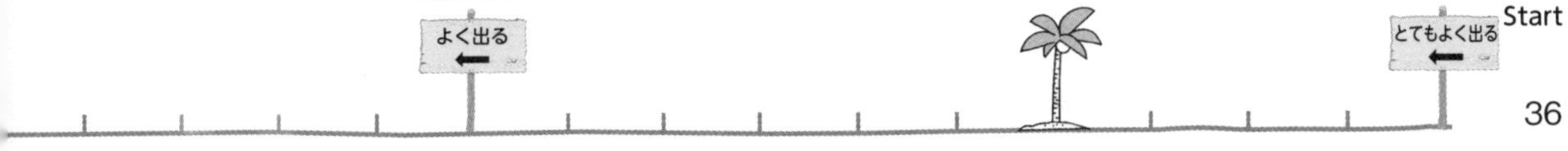

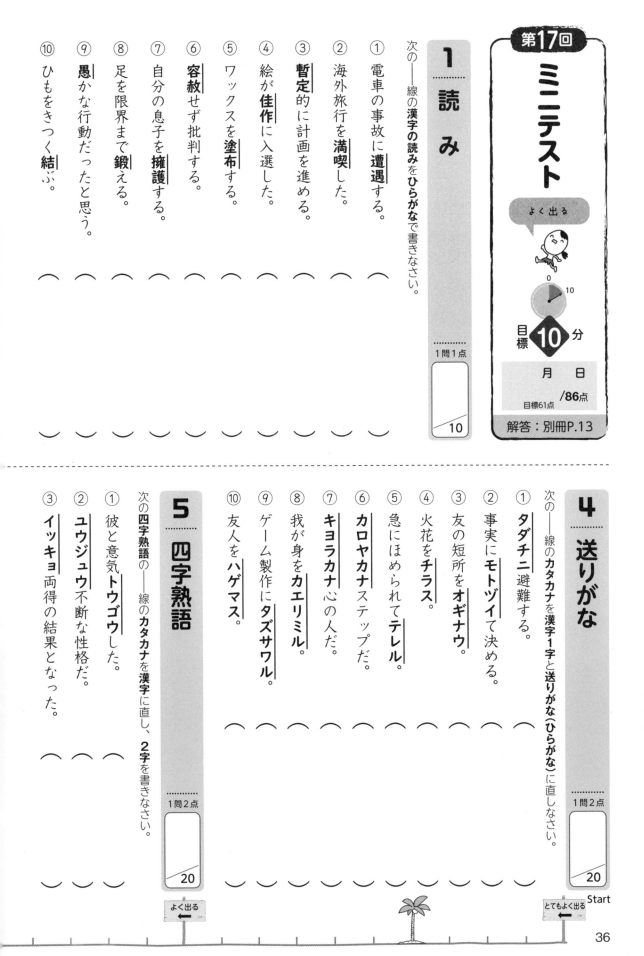

2 漢字識別

次の3つの□に**共通する漢字**を入れて熟語を作りなさい。漢字は[　]から**1つ**選び、**記号**で答えなさい。

1問2点　/10

① □水・□球・□除　（　　）
② □力・□物・□獣　（　　）
③ 果□・□行・□然　（　　）
④ □球・□貨・□質　（　　）
⑤ □張・□急・□密　（　　）

ア 潜　**イ** 排　**ウ** 揚　**エ** 怪　**オ** 極
カ 敢　**キ** 物　**ク** 硬　**ケ** 拡　**コ** 緊

3 対義語

後の[　]の中のひらがなを漢字に直して、**対義語**を作りなさい。[　]の中のひらがなは**1度だけ**使い、**漢字1字**を書きなさい。

1問2点　/10

① 発展 ― □退
② 正統 ― 異□
③ 辛勝 ― □敗
④ 精密 ― □雑
⑤ 名誉 ― 恥□

じょく・すい・せき・そ・たん

④ **イシン**伝心の間柄を深める。　（　　）
⑤ **シタサキ**三寸のお世辞を見抜く。　（　　）
⑥ 彼女は才色**ケンビ**だ。　（　　）
⑦ **キソウ**天外な発明に驚く。　（　　）
⑧ 危急**ソンボウ**のときだ。　（　　）
⑨ **アクギャク**無道を正す。　（　　）
⑩ 名論**タクセツ**を期待する。　（　　）

6 書き取り

次の――線の**カタカナ**を**漢字**に直しなさい。

1問2点　/16

① 雪山で**トウシ**寸前に助けられた。　（　　）
② **ネンド**をこねて人形を作る。　（　　）
③ 盛大な**ハクシュ**で迎える。　（　　）
④ **ゲンジュウ**に注意する。　（　　）
⑤ **カタヤブ**りな作品だ。　（　　）
⑥ 寺の**カネ**をつく音が聞こえる。　（　　）
⑦ 英語を**カタコト**で話す。　（　　）
⑧ 木材を**タテ**に割った。　（　　）

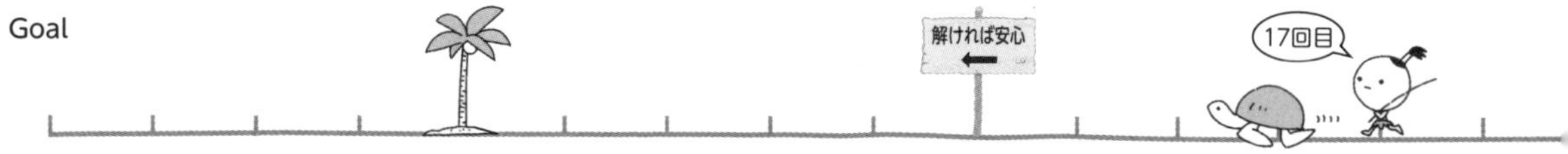

第18回 ミニテスト

よく出る

目標 10 分

月　日

/90点 目標63点

解答：別冊P.13

1 読み

1問1点 /10

次の――線の**漢字の読み**を**ひらがな**で書きなさい。

① 計画について役人と**折衝**する。（　　）
② **廊下**を走ってはいけない。（　　）
③ 児童手当を**申請**する。（　　）
④ 広い**湿原**で植物を観察する。（　　）
⑤ **陳腐**な言い回しになった。（　　）
⑥ つらい**境遇**に涙する。（　　）
⑦ 市長が選手を**激励**する。（　　）
⑧ 仲間を**伴**って現れる。（　　）
⑨ 酒をたくさん飲んで**酔**う。（　　）
⑩ ただならぬ空気が**漂**う。（　　）

4 熟語の構成

1問2点 /22

熟語の構成のしかたには次のようなものがあります。

ア 同じような意味の漢字を重ねたもの　（例…**岩石**）
イ 反対または対応の意味を表す字を重ねたもの　（例…**高低**）
ウ 上の字が下の字を修飾しているもの　（例…**洋画**）
エ 下の字が上の字の目的語・補語になっているもの　（例…**着席**）
オ 上の字が下の字の意味を打ち消しているもの　（例…**非常**）

①～⑪の**熟語**は、右の**ア～オ**のどれにあたるか、**1つ**選び、**記号**で答えなさい。

① 無粋（　　）
② 換言（　　）
③ 喫茶（　　）
④ 丘陵（　　）
⑤ 屈伸（　　）
⑥ 鎮痛（　　）
⑦ 粗食（　　）
⑧ 炊飯（　　）
⑨ 昇降（　　）
⑩ 禁猟（　　）
⑪ 排他（　　）

5 四字熟語

1問2点 /20

次の**四字熟語**の――線の**カタカナ**を**漢字**に直し、**2字**を書きなさい。

① 危うい状況で力戦**フントウ**した。（　　）
② **チョクジョウ**径行ぶりが不快だ。（　　）
③ **ジュクリョ**断行して結果を出す。（　　）

Start　とてもよく出る　よく出る

2 同音・同訓異字

1問2点　/12

次の――線のカタカナにあてはまる漢字をそれぞれのア～オから1つ選び、記号で答えなさい。

① 入コンの作を出品する。（　）
② 失敗が痛コンの極みだ。（　）
③ 紫コンの校旗がはためく。（　）
（ア 困　イ 恨　ウ 魂　エ 紺　オ 混）

④ 仲を引きサかれた。（　）
⑤ 友人のことをサける。（　）
⑥ 手サげかばんを買う。（　）
（ア 避　イ 刺　ウ 提　エ 差　オ 裂）

3 類義語

1問2点　/10

後の[ ]の中のひらがなを漢字に直して、類義語を作りなさい。[ ]の中のひらがなは1度だけ使い、漢字1字を書きなさい。

① 利発―利□
② 形見―□品
③ 官吏―□人
④ 陳列―□示
⑤ 計算―□定

[い・かん・こう・てん・やく]

④ ヨウイ周到なプランを練る。（　）
⑤ ニソク三文の売上だった。（　）
⑥ 門戸カイホウを許可する。（　）
⑦ チュウヤ兼行で仕上げる。（　）
⑧ メイジツ一体の言動を心がける。（　）
⑨ 美辞レイクを信じない。（　）
⑩ リロ整然と経緯を話した。（　）

6 書き取り

1問2点　/16

次の――線のカタカナを漢字に直しなさい。

① ビンボウな暮らしも苦にしない。（　）
② 逃げ道をフウじる。（　）
③ 山に登るにはケイソウすぎる。（　）
④ はぐれた動物をホゴする。（　）
⑤ ハカマイりを欠かさない。（　）
⑥ 計算の速さでマサる。（　）
⑦ 物事の大事さをトく。（　）
⑧ 思いナカばで力尽きた。（　）

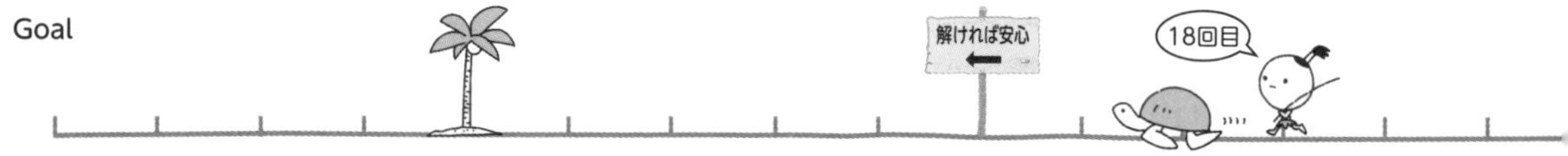

第19回
ミニテスト

よく出る

目標 10 分

月　日

/74点
目標52点

解答：別冊P.14

1 読み

1問1点　/10

次の――線の**漢字の読み**を**ひらがな**で書きなさい。

① 船が**転覆**する。（　）
② 小学生が**鶏舎**を見学する。（　）
③ 香りが**鼻孔**をくすぐる。（　）
④ 大名の**埋蔵**金を探す。（　）
⑤ 組織に**吉報**をもたらした。（　）
⑥ **敬慕**の念を表情に出す。（　）
⑦ 敵の**幻影**に惑わされる。（　）
⑧ 天にも**昇**る思いだ。（　）
⑨ ぶどうの**房**をもぎ取る。（　）
⑩ 大きな**炎**がゆらめく。（　）

4 部首

1問1点　/10

次の漢字の**部首**を**ア～エ**から**1つ**選び、**記号**で答えなさい。

① 塊（ア 土　イ ム　ウ 田　エ 鬼）（　）
② 辛（ア 亠　イ 立　ウ 辛　エ 十）（　）
③ 勘（ア 日　イ し　ウ 儿　エ 力）（　）
④ 興（ア 一　イ 口　ウ 臼　エ 八）（　）
⑤ 載（ア 土　イ 車　ウ 一　エ 戈）（　）
⑥ 酔（ア 西　イ 酉　ウ ノ　エ 十）（　）
⑦ 哲（ア 扌　イ 斤　ウ 十　エ 口）（　）
⑧ 斗（ア 丶　イ 一　ウ 十　エ 斗）（　）
⑨ 藩（ア 艹　イ 氵　ウ 釆　エ 田）（　）
⑩ 窓（ア 宀　イ 穴　ウ ム　エ 心）（　）

5 誤字訂正

1問2点　/16

次の各文にまちがって使われている**同じ読みの漢字**が**1字**あります。**上に誤字**を、**下に正しい漢字**を書きなさい。

誤　正

① 教師一同で修学旅行の引卒をする。（　）〔　〕
② 授与式の延紀で意欲が低下した。（　）〔　〕

Start
とてもよく出る ←
よく出る ←

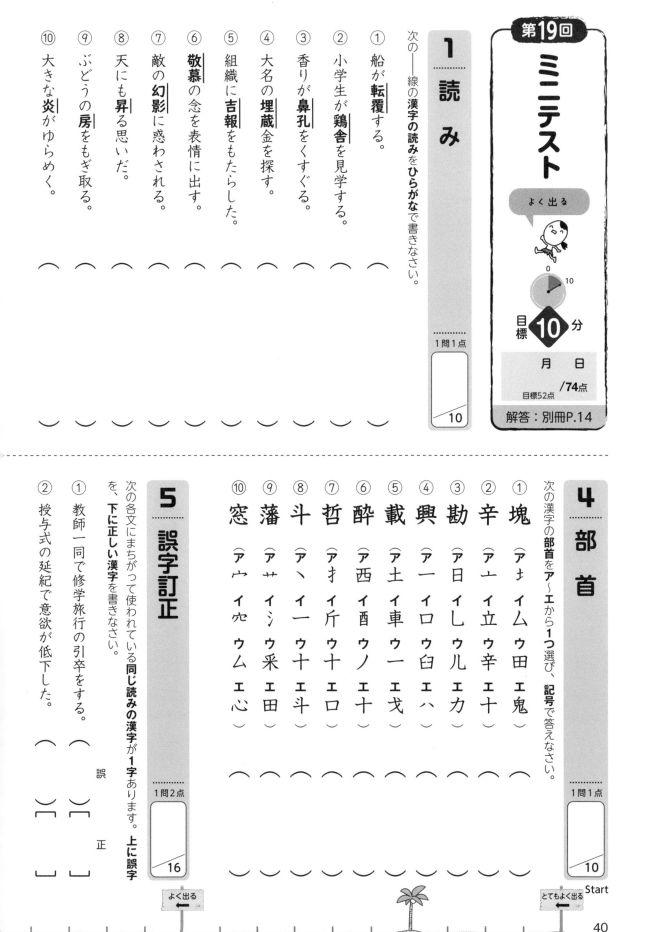

2 同音・同訓異字

1問2点　／12

次の――線のカタカナにあてはまる漢字をそれぞれのア～オから1つ選び、記号で答えなさい。

① 成長をソ害する。
② ソ末な扱いをする。
③ 臨機応変なソ置をとる。
（ア 措　イ 阻　ウ 訴　エ 粗　オ 沿）

④ タイ児が成長する。
⑤ 延タイ金を支払う。
⑥ タイ慢さにあきれる。
（ア 態　イ 胎　ウ 滞　エ 待　オ 怠）

3 対義語

1問2点　／10

後の□の中のひらがなを漢字に直して、対義語を作りなさい。□の中のひらがなは1度だけ使い、漢字1字を書きなさい。

① 発生 ― 消□
② 猛暑 ― □寒
③ 愛護 ― □待
④ 委細 ― □略
⑤ 自供 ― □秘

がい・ぎゃく・げん・めつ・もく

③ 会社の経栄は長年の経験が必要だ。
④ 息子が散材するのを注意した。
⑤ 首相が就任して実件を握った。
⑥ 広告の単当として宣伝に傾注する。
⑦ 決勝戦に一丸で臨んだが敗対した。
⑧ 雄大な自然の風敬に感傷的になる。

6 書き取り

1問2点　／16

次の――線のカタカナを漢字に直しなさい。

① 手の風船がハレツした。
② 海岸にヒョウチャクした。
③ この夏の暑さはフツウでない。
④ キョジャク体質を改善する。
⑤ 大きなビルがクズれる。
⑥ さぼったことをクやむ。
⑦ これから飲酒をヒカえる。
⑧ 大きなホを広げた船。

第20回 ミニテスト

よく出る

目標10分

月　日

/86点　目標61点

解答：別冊P.14

1 読み

次の——線の**漢字の読み**を**ひらがな**で書きなさい。

1問1点　/10

① **感慨**にひたる。（　　）
② 記事が週刊誌に**掲載**される。（　　）
③ 国に支援を**要請**する。（　　）
④ **金塊**がぬすまれる。（　　）
⑤ **稚魚**を放流する。（　　）
⑥ **巧妙**な手口を考える。（　　）
⑦ なかなか**強情**な性格だ。（　　）
⑧ 不自然な行動を**控**える。（　　）
⑨ 取り**繕**った話し方だ。（　　）
⑩ **又聞**きの話は信じない。（　　）

4 送りがな

次の——線の**カタカナ**を**漢字1字**と**送りがな（ひらがな）**に直しなさい。

1問2点　/20

① 熱いスープを**サマス**。（　　）
② しでかしたことを**クヤム**。（　　）
③ 亡くなった友を**オシム**。（　　）
④ 試験勉強を**ナマケル**。（　　）
⑤ ぶつかった相手に**アヤマル**。（　　）
⑥ **イチジルシイ**成長だ。（　　）
⑦ **ヤスラカナ**気持ちになる。（　　）
⑧ 小さい魚が**ムレル**。（　　）
⑨ **アラタナ**文化が生まれる。（　　）
⑩ 年上の人を**ウヤマウ**。（　　）

5 四字熟語

次の**四字熟語**の——線の**カタカナ**を**漢字**に直し、**2字**を書きなさい。

1問2点　/20

① **シュウジン**環視の場所で話す。（　　）
② **イッキョ**一動を見逃さない。（　　）
③ 危機**イッパツ**の状況だった。（　　）

よく出る ←

とてもよく出る ←

Start

2 漢字識別

1問2点　/10

次の3つの□に**共通する漢字**を入れて熟語を作りなさい。漢字は［　］から**1つ**選び、**記号**で答えなさい。

① □述・□定・□知　（　）
② 多□・□路・□阜　（　）
③ 屈□・□展・追□　（　）
④ 養□・□頭・軍□　（　）
⑤ □上・火□・気□　（　）

ア 少　イ 班　ウ 既　エ 記　オ 水
カ 育　キ 岐　ク 伸　ケ 鶏　コ 炎

3 類義語

1問2点　/10

後の［　］の中のひらがなを漢字に直して、**類義語**を作りなさい。［　］の中のひらがなは**1度だけ**使い、**漢字1字**を書きなさい。

① 計略 ― 策□
② 欠乏 ― 不□
③ 技巧 ― 技□
④ 道路 ― □来
⑤ 始末 ― 次□

おう・そく・だい・ぼう・りょう

6 書き取り

1問2点　/16

次の――線の**カタカナ**を**漢字**に直しなさい。

① **サイフ**からお金を出す。　（　）
② **ヘイオン**な毎日が続く。　（　）
③ **カブカ**が低迷している。　（　）
④ **チュウコク**を聞き入れる。　（　）
⑤ **コゴ**えるほどの寒さだ。　（　）
⑥ 自分で掘った穴を**ウ**める。　（　）
⑦ まだ服が**シメ**っている。　（　）
⑧ 公園のブランコが**ユ**れる。　（　）

④ **ヒャッキ**夜行の世界に迷い込む。　（　）
⑤ 一石**ニチョウ**の方法だ。　（　）
⑥ 喜色**マンメン**の様子だ。　（　）
⑦ 大義**メイブン**を重んじる。　（　）
⑧ 天変**チイ**におびえる。　（　）
⑨ 意味**シンチョウ**な発言に悩む。　（　）
⑩ **ムビョウ**息災を祈願する。　（　）

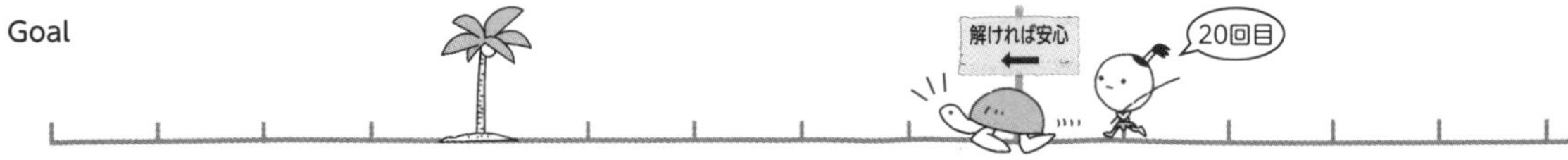

第21回 ミニテスト

解ければ安心!

目標 10分

月　日

/90点

目標63点

解答：別冊P.14

1 読み

次の――線の**漢字の読み**を**ひらがな**で書きなさい。

1問1点　/10

① 曲者が付近に**潜伏**する。（　　）
② 大事な情報を**秘匿**する。（　　）
③ **殺伐**とした空気だ。（　　）
④ **突如**として転機が訪れる。（　　）
⑤ **悔恨**の情にかられる。（　　）
⑥ **哀歓**を共にした仲間だ。（　　）
⑦ プロの**棋士**を目指す。（　　）
⑧ **卸値**で売ることにした。（　　）
⑨ **木彫**りの犬を買う。（　　）
⑩ 彼の仕事ぶりは**心憎**い。（　　）

---

4 熟語の構成

1問2点　/22

熟語の構成のしかたには次のようなものがあります。

ア 同じような意味の漢字を重ねたもの　（例…**岩石**）
イ 反対または対応の意味を表す字を重ねたもの　（例…**高低**）
ウ 上の字が下の字を修飾しているもの　（例…**洋画**）
エ 下の字が上の字の目的語・補語になっているもの　（例…**着席**）
オ 上の字が下の字の意味を打ち消しているもの　（例…**非常**）

①～⑪の**熟語**は、右の**ア**～**オ**のどれにあたるか、**1つ**選び、**記号**で答えなさい。

① 翻意（　　）
② 蛮行（　　）
③ 滅亡（　　）
④ 不遇（　　）
⑤ 終了（　　）
⑥ 伸縮（　　）
⑦ 移籍（　　）
⑧ 猟犬（　　）
⑨ 山岳（　　）
⑩ 巨匠（　　）
⑪ 緩慢（　　）

5 四字熟語

1問2点　/20

次の**四字熟語**の――線の**カタカナ**を**漢字**に直し、**2字**を書きなさい。

① 会長の発言は時代**サクゴ**だ。（　　）
② **イク**同音の様子に驚いた。（　　）
③ 片言**セキク**がその後を分けた。（　　）

よく出る ←　とてもよく出る ←　Start

2 同音・同訓異字

次の——線の**カタカナ**にあてはまる漢字をそれぞれの**ア**～**オ**から**1つ**選び、**記号**で答えなさい。

1問2点　/12

①発言を**テイ**正する。（　　）
②**テイ**王切開でうまれた。（　　）
③兄は大**テイ**出かけている。（　　）
（**ア** 帝　**イ** 訂　**ウ** 底　**エ** 定　**オ** 抵）

④白い**トウ**器の皿を好む。（　　）
⑤天然**トウ**は根絶された。（　　）
⑥水道管が**トウ**結する。（　　）
（**ア** 痘　**イ** 透　**ウ** 凍　**エ** 桃　**オ** 陶）

3 対義語

後の［　］の中のひらがなを漢字に直して、**対義語**を作りなさい。［　］の中のひらがなは**1度だけ**使い、**漢字1字**を書きなさい。

1問2点　/10

①承諾 ― □退
②助長 ― □害
③故意 ― □失
④軽率 ― □重
⑤師匠 ― □子

［か・じ・しん・そ・で］

---

④前人**ミトウ**の登頂が成功した。（　　）
⑤金城**テッペキ**の相手に勝利する。（　　）
⑥驚天**ドウチ**の事件が起こる。（　　）
⑦敵の大将は**イッキ**当千だ。（　　）
⑧老成**エンジュク**の師に学ぶ。（　　）
⑨有名**ムジツ**な規則を改める。（　　）
⑩勇猛**カカン**な人物が現れる。（　　）

6 書き取り

次の——線の**カタカナ**を**漢字**に直しなさい。

1問2点　/16

①食材を**ミップウ**して保管する。（　　）
②試験が**メンジョ**された。（　　）
③**ユウシュウ**な人材を確保する。（　　）
④**ルイジ**の例で説明する。（　　）
⑤学生が勉強に**ハゲ**む。（　　）
⑥日々を**ナマ**けてすごす。（　　）
⑦この職場では**フルカブ**になった。（　　）
⑧**キモ**のすわった人だ。（　　）

Goal

第22回 ミニテスト

目標 10 分

月　日

/74点　目標52点

解答：別冊P.15

1 読み

次の――線の**漢字の読み**を**ひらがな**で書きなさい。

1問1点　/10

① **勇敢**に立ち向かう。（　）
② 声が**悲哀**に染まっている。（　）
③ **耐乏**生活を送った。（　）
④ 全員に注意を**喚起**する。（　）
⑤ 景品が**没収**される。（　）
⑥ **抑揚**のない声が響く。（　）
⑦ **衝動**が体を突き動かす。（　）
⑧ しっかりした**帆柱**だ。（　）
⑨ **辛**い味つけが好みだ。（　）
⑩ 友人を飲み会に**誘**う。（　）

4 部首

次の漢字の**部首**を**ア～エ**から**1つ**選び、**記号**で答えなさい。

1問1点　/10

① 欺（ア日　イハ　ウ人　エ欠）（　）
② 菊（ア艹　イ勹　ウ米　エ十）（　）
③ 吉（ア士　イ土　ウ舌　エ口）（　）
④ 甲（ア日　イ曰　ウ田　エ丨）（　）
⑤ 殊（ア夕　イ歹　ウ十　エ木）（　）
⑥ 削（ア⺌　イ月　ウ刂　エ亅）（　）
⑦ 就（ア亠　イ口　ウ小　エ尢）（　）
⑧ 賊（ア貝　イ十　ウ弋　エ戈）（　）
⑨ 簿（ア⺮　イ氵　ウ田　エ寸）（　）
⑩ 廊（ア厂　イ广　ウ良　エ阝）（　）

5 誤字訂正

次の各文にまちがって使われている**同じ読みの漢字**が**1字**あります。**上に誤字**を、**下に正しい漢字**を書きなさい。

1問2点　/16

誤　正

① 全員賛成で法案が加決された。（　）［　］
② 議員の街灯演説に聴衆が集まる。（　）［　］

Start　とてもよく出る←　よく出る←

2 同音・同訓異字

1問2点　／12

次の――線の**カタカナ**にあてはまる漢字をそれぞれの**ア**～**オ**から**1つ**選び、**記号**で答えなさい。

① 彼が気**エン**をあげる。（　　）
② 友と**エン**席につらなる。（　　）
③ **エン**長戦を開始する。（　　）
（**ア** 炎　**イ** 円　**ウ** 宴　**エ** 縁　**オ** 延）

④ **ガイ**略を理解する。（　　）
⑤ 無力さに**ガイ**嘆する。（　　）
⑥ 商店**ガイ**で買い物する。（　　）
（**ア** 害　**イ** 慨　**ウ** 概　**エ** 該　**オ** 街）

3 類義語

1問2点　／10

後の□の中のひらがなを漢字に直して、**類義語**を作りなさい。□の中のひらがなは**1度だけ**使い、**漢字1字**を書きなさい。

① 解任 ― □職
② 健在 ― □役
③ 保有 ― □持
④ 手柄 ― □績
⑤ 幼稚 ― 未□

げん・こう・じゅく・しょ・めん

③ 物資を各保し自宅待機する。（　　）〔　　〕
④ 付与された裁領が小さく不満だ。（　　）〔　　〕
⑤ 慎長に行動して困難に打ち勝つ。（　　）〔　　〕
⑥ 真刻な表情を浮かべて部隊を見た。（　　）〔　　〕
⑦ 志望先から採用の練絡が入った。（　　）〔　　〕
⑧ 司会者の見事な話述に仰天した。（　　）〔　　〕

6 書き取り

1問2点　／16

次の――線の**カタカナ**を**漢字**に直しなさい。

① 耳鼻科で**チョウリョク**検査をする。（　　）
② 他国に**ボウメイ**する。（　　）
③ **コウミョウ**な手口だ。（　　）
④ **ワンガン**を車で走る。（　　）
⑤ **サムライ**の役で舞台に立つ。（　　）
⑥ マッチを**ス**って火をつける。（　　）
⑦ ハンガーにコートを**カ**ける。（　　）
⑧ リカオンの**ム**れを見る。（　　）

第23回

ミニテスト

解けれは安心!

目標 10 分

月　日

/86点

目標61点

解答:別冊P.15

1 読み

1問1点　/10

次の——線の**漢字の読み**を**ひらがな**で書きなさい。

① 地域の神社に**奉納**する。（　　）
② 家が**畜産**業を営む。（　　）
③ 暴動を**鎮圧**しに向かう。（　　）
④ 店員が販売を**促進**する。（　　）
⑤ ミッションを**完遂**した。（　　）
⑥ ご**相伴**にあずかった。（　　）
⑦ **豊潤**な土地を訪れる。（　　）
⑧ 知人に**難癖**をつけられた。（　　）
⑨ 山が丸**裸**になる。（　　）
⑩ 散歩で気を**紛**らす。（　　）

4 送りがな

1問2点　/20

次の——線の**カタカナ**を**漢字1字**と**送りがな(ひらがな)**に直しなさい。

① 区役所で用事を**スマス**。（　　）
② 洗ったニットが**チヂム**。（　　）
③ 我が半生を**カタル**。（　　）
④ **ウタガイ**の目で見られる。（　　）
⑤ 心に深い傷を**オウ**。（　　）
⑥ 思いを胸に**ヒメル**。（　　）
⑦ 貴族の指示に**シタガウ**。（　　）
⑧ 他人に大役を**マカセル**。（　　）
⑨ **スベテ**が役に立った。（　　）
⑩ 同級生と点数を**キソウ**。（　　）

5 四字熟語

1問2点　/20

次の**四字熟語**の——線の**カタカナ**を**漢字**に直し、**2字**を書きなさい。

① 一日**センシュウ**の思いで待つ。（　　）
② 友人は試合で**キエン**万丈だった。（　　）
③ 弁明は首尾**イッカン**している。（　　）

Start　とてもよく出る ←　よく出る ←

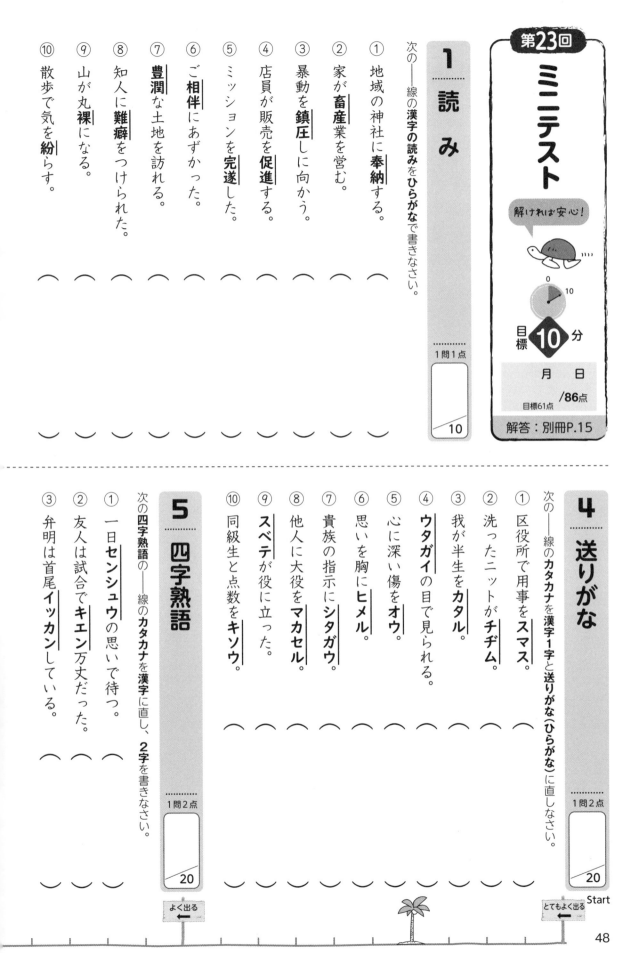

2 漢字識別

次の３つの□に**共通する漢字**を入れて熟語を作りなさい。漢字は[　]から**１つ**選び、**記号**で答えなさい。

1問2点　/10

① □案・□合・□定　（　　）
② 悪□・□感・亡□　（　　）
③ □筆・□時・□伴　（　　）
④ □走・□病・□風　（　　）
⑤ □位・王□・□詞　（　　）

ア 随	**イ** 答	**ウ** 定	**エ** 疾	**オ** 順
カ 勘	**キ** 霊	**ク** 冠	**ケ** 大	**コ** 逃

3 対義語

後の[　]の中のひらがなを漢字に直して、**対義語**を作りなさい。[　]の中のひらがなは**1度だけ**使い、**漢字1字**を書きなさい。

1問2点　/10

① 温和―□暴
② 零落―□達
③ 承諾―固□
④ 郊外―□心
⑤ 保守―□新

[えい・かく・じ・そ・と]

④ 縦横**ムジン**にかけめぐった。（　　）
⑤ 彼女は昔から**ヒンコウ**方正だ。（　　）
⑥ 喜怒**アイラク**の激しい人だ。（　　）
⑦ **ウイ**転変の社会を生きる。（　　）
⑧ 率先**スイハン**の姿勢を保つ。（　　）
⑨ 関係は複雑**タキ**にわたる。（　　）
⑩ **ゼヒ**曲直のわからない人だ。（　　）

6 書き取り

次の――線の**カタカナ**を**漢字**に直しなさい。

1問2点　/16

① それは**トクシュ**な事例だ。（　　）
② **カセツ**を証明する。（　　）
③ 家族で**ショクタク**を囲む。（　　）
④ 大学に**ゲンソウ**を抱く。（　　）
⑤ 友の短所を**オギナ**う。（　　）
⑥ 返却の期限を**ツ**げる。（　　）
⑦ すずりで**スミ**をする。（　　）
⑧ ごはんが**タ**き上がる。（　　）

第24回 ミニテスト

目標 10 分

月　日

/90点　目標63点

解答：別冊P.15

1 読み

次の――線の**漢字の読み**を**ひらがな**で書きなさい。

1問1点　/10

① 学校のルールを**遵守**する。（　　）
② **匿名**で情報を伝える。（　　）
③ 電線を**埋設**する。（　　）
④ 我が社の社員を**慰労**する。（　　）
⑤ 社会が**衰退**していく。（　　）
⑥ **酵母**を使って酒を造る。（　　）
⑦ 美術品を**模倣**する。（　　）
⑧ 空気が**湿**っている。（　　）
⑨ せっかくの話を**断**る。（　　）
⑩ 株主総会に**諮**った。（　　）

4 熟語の構成

熟語の構成のしかたには次のようなものがあります。

1問2点　/22

ア　同じような意味の漢字を重ねたもの（例…**岩石**）
イ　反対または対応の意味を表す字を重ねたもの（例…**高低**）
ウ　上の字が下の字を修飾しているもの（例…**洋画**）
エ　下の字が上の字の目的語・補語になっているもの（例…**着席**）
オ　上の字が下の字の意味を打ち消しているもの（例…**非常**）

①～⑪の**熟語**は、右の**ア**～**オ**のどれにあたるか、**1つ**選び、**記号**で答えなさい。

① 徐行（　　）
② 駐車（　　）
③ 鍛錬（　　）
④ 安穏（　　）
⑤ 佳境（　　）
⑥ 解雇（　　）
⑦ 去就（　　）
⑧ 彼我（　　）
⑨ 恥辱（　　）
⑩ 鶏舎（　　）
⑪ 未踏（　　）

5 四字熟語

次の**四字熟語**の――線の**カタカナ**を**漢字**に直し、**2字**を書きなさい。

1問2点　/20

① 粒々**シンク**の末に完成した。（　　）
② 悪口**ゾウゴン**には負けない。（　　）
③ 二者**タクイツ**の場面が訪れた。（　　）

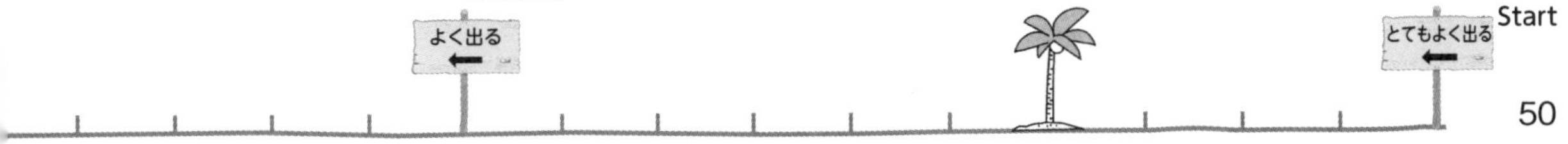

2　同音・同訓異字

1問2点　／12

次の――線のカタカナにあてはまる漢字をそれぞれの**ア**～**オ**から**1つ**選び、**記号**で答えなさい。

① ひどい目に**ア**う。（　　）
② **ア**れた土地が広がる。（　　）
③ その話は聞き**ア**きた。（　　）
（**ア** 飽　**イ** 開　**ウ** 遭　**エ** 荒　**オ** 在）

④ 外国製品を排**セキ**する。（　　）
⑤ **セキ**別の情を覚える。（　　）
⑥ 船が一**セキ**ある。（　　）
（**ア** 隻　**イ** 斥　**ウ** 跡　**エ** 惜　**オ** 席）

3　類義語

1問2点　／10

後の［　］の中のひらがなを漢字に直して、**類義語**を作りなさい。［　］の中のひらがなは**1度だけ**使い、**漢字1字**を書きなさい。

① 看過―□視
② 大筋―□略
③ 警護―護□
④ 認可―許□
⑤ 吉報―□報

［えい・がい・ざ・だく・ろう］

④ 人気**ゼッチョウ**の俳優だ。（　　）
⑤ どの商品も同工**イキョク**だ。（　　）
⑥ 戦場で**コリツ**無援となった。（　　）
⑦ **ゲイイン**馬食ぶりに驚く。（　　）
⑧ 彼の発明は不朽**フメツ**だ。（　　）
⑨ 母は何事にも進取**カカン**だ。（　　）
⑩ 識者の高論**タクセツ**を聞く。（　　）

6　書き取り

1問2点　／16

次の――線の**カタカナ**を**漢字**に直しなさい。

① **グウゼン**にも再会する。（　　）
② 勉強不足を**コウカイ**しても遅い。（　　）
③ 雪の**ケッショウ**を調べる。（　　）
④ ある団体が**ブンレツ**した。（　　）
⑤ **タキ**の周りは涼しい。（　　）
⑥ すり傷に薬を**ヌ**る。（　　）
⑦ 道端に**ノギク**が咲く。（　　）
⑧ 彼女に**ユビワ**を渡す。（　　）

第25回

ミニテスト

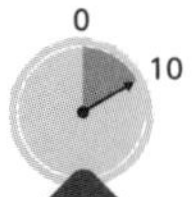

目標 10 分

月　日

/74点

目標52点

解答：別冊P.16

1 読み

次の――線の**漢字の読み**を**ひらがな**で書きなさい。

1問1点　/10

① 移転計画を**凍結**した。（　　）

② 専門書の初版を**改訂**した。（　　）

③ **恐悦**至極に存じます。（　　）

④ **焦燥**が心中に広がる。（　　）

⑤ ようやく**狩猟**を始める。（　　）

⑥ **孤島**に流れ着いた。（　　）

⑦ 遠洋で**捕鯨**する。（　　）

⑧ 素敵な音楽を**聴**く。（　　）

⑨ 稲の**穂**を描いた。（　　）

⑩ ほめられて**伸**びる。（　　）

4 部首

次の漢字の**部首**を**ア～エ**から**1つ**選び、**記号**で答えなさい。

1問1点　/10

① 廉（ア广　イ一　ウ丨　エ八）（　　）

② 遇（ア辶　イ田　ウ丨　エ冂）（　　）

③ 籍（ア⺮　イ耒　ウ口　エ日）（　　）

④ 岳（ア斤　イ一　ウ凵　エ山）（　　）

⑤ 嘱（ア口　イ尸　ウ虫　エ冂）（　　）

⑥ 魂（ア二　イ厶　ウ鬼　エ儿）（　　）

⑦ 乳（アノ　イ爫　ウ子　エ乚）（　　）

⑧ 昇（ア日　イ十　ウ亻　エ廾）（　　）

⑨ 婿（アノ　イ女　ウ疋　エ月）（　　）

⑩ 免（アノ　イ口　ウ日　エ儿）（　　）

5 誤字訂正

次の各文にまちがって使われている**同じ読みの漢字**が**1字**あります。**上に誤字**を、**下に正しい漢字**を書きなさい。

1問2点　/16

誤　正

① 校区外通学の許可規準を調査する。（　　）〔　　〕

② 初主演の映画で脚功を浴びる。（　　）〔　　〕

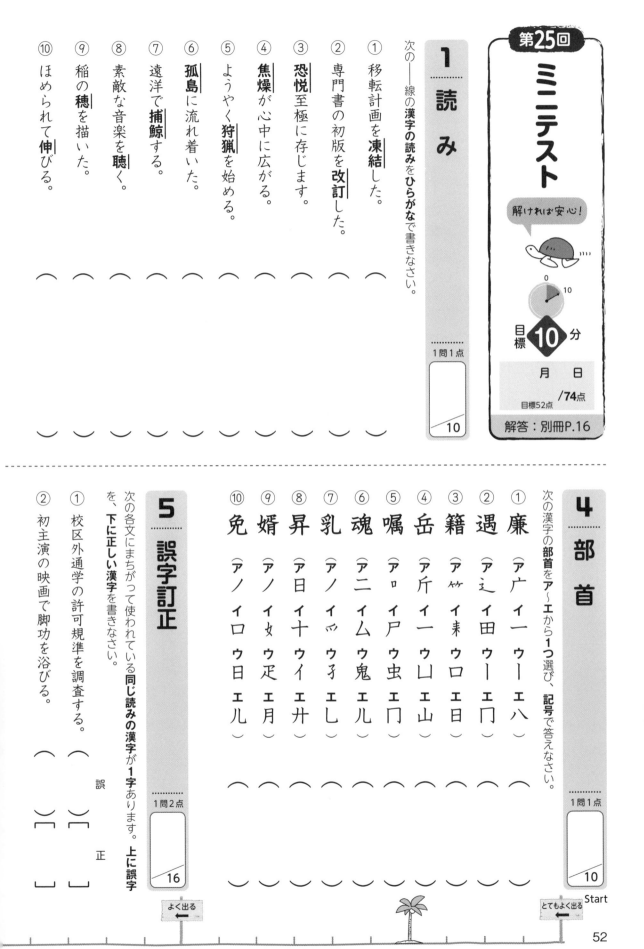

2 同音・同訓異字

1問2点　／12

次の――線のカタカナにあてはまる漢字をそれぞれのア～オから1つ選び、記号で答えなさい。

① 資格を取トクした。（　）
② トク名で答える。（　）
③ 危トクの連絡があった。（　）
（ア 得　イ 徳　ウ 特　エ 匿　オ 篤）

④ 激ロウにもまれた。（　）
⑤ 回ロウを歩いていく。（　）
⑥ 不正脱ロウが発覚する。（　）
（ア 漏　イ 浪　ウ 廊　エ 労　オ 朗）

3 対義語

1問2点　／10

後の［　］の中のひらがなを漢字に直して、対義語を作りなさい。［　］の中のひらがなは1度だけ使い、漢字1字を書きなさい。

① 優雅―□野
② 支配―従□
③ 安定―動□
④ 孤立―連□
⑤ 沈下―□起

［そ・ぞく・たい・よう・りゅう］

（前ページからの続き）

③ 会社の設立十週年の祝宴を開く。（　）［　］
④ 計画の詳彩に不備が多く却下された。（　）［　］
⑤ 有名人の突比な行動に驚嘆した。（　）［　］
⑥ 百価店の販売推進部で職務にあたる。（　）［　］
⑦ 事故で担当部署の付担が増大した。（　）［　］
⑧ 間一髪で切迫した状況から脱する。（　）［　］

6 書き取り

1問2点　／16

次の――線のカタカナを漢字に直しなさい。

① 自分の道をセンタクする。（　）
② 大キギョウに勤める。（　）
③ 漢字にヘンカンする。（　）
④ コウリツよく家事をこなす。（　）
⑤ ある学説をトナえる。（　）
⑥ 薄切りのブタニクを買う。（　）
⑦ ホノオを上げて燃える。（　）
⑧ 夫とイナカで暮らす。（　）

第26回 ミニテスト

目標 10 分

月　日

/86点

目標61点

解答：別冊P.16

1 読み

1問1点　/10

次の――線の**漢字の読み**を**ひらがな**で書きなさい。

① 仲間の退部を**慰留**する。
② 講師として**登壇**する。
③ **巨匠**として知られる祖父。
④ 申し出を**快諾**する。
⑤ 事情を**勘案**して決める。
⑥ 相手チームを**完封**する。
⑦ **平穏**な暮らしを送る。
⑧ **憎**らしい相手だ。
⑨ 床がつるつると**滑**った。
⑩ **綱渡**りの経営状態だ。

4 送りがな

1問2点　/20

次の――線の**カタカナ**を**漢字1字**と**送りがな（ひらがな）**に直しなさい。

① 勇気ある者が**ツドウ**。
② 取引先の信用を**ウシナウ**。
③ 実家が居酒屋を**イトナム**。
④ タイムカプセルを**ウメル**。
⑤ 道を**ヘダテ**て向かい合う。
⑥ あんこを皮で**オオウ**。
⑦ 水でのどを**ウルオス**。
⑧ **コトナル**考えを知る。
⑨ 悩む人々を**ミチビク**。
⑩ 政治家を**ココロザス**。

5 四字熟語

1問2点　/20

次の**四字熟語**の――線の**カタカナ**を**漢字**に直し、**2字**を書きなさい。

① 説明が支離**メツレツ**だった。
② 全身**ゼンレイ**で取り組む。
③ 暖衣**ホウショク**の時代だ。

とてもよく出る ← Start

よく出る ←

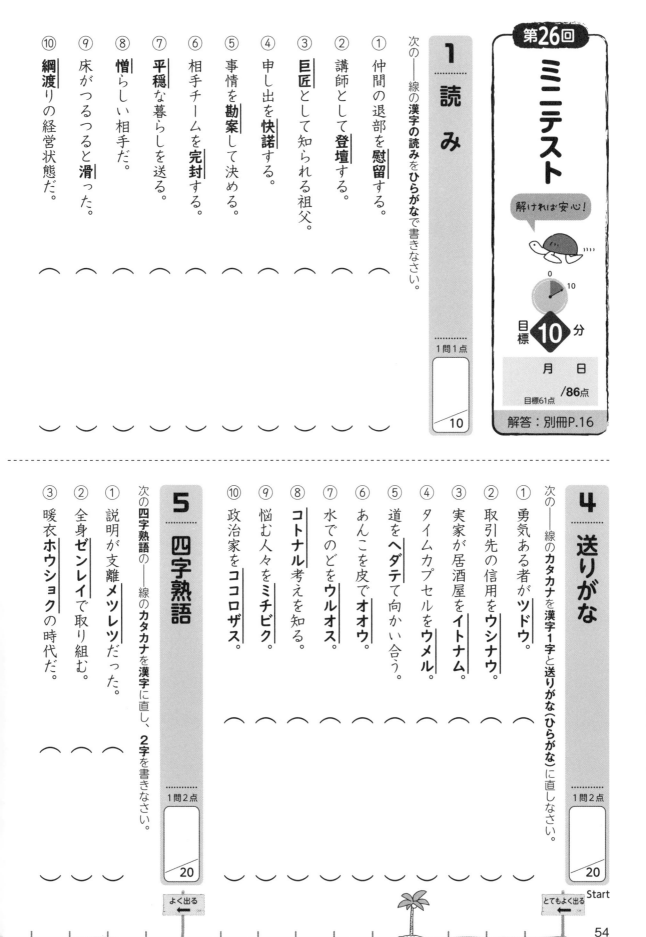

2 漢字識別

1問2点　／10

次の3つの□に**共通する漢字**を入れて熟語を作りなさい。漢字は[　]から**1つ**選び、**記号**で答えなさい。

① □中・□握・車□　（　　）
② □布・□船・出□　（　　）
③ 遭□・待□・境□　（　　）
④ □帯・連□・提□　（　　）
⑤ □作・□境・□人　（　　）

ア 夜	**イ** 小	**ウ** 掌	**エ** 帆	**オ** 工
カ 遇	**キ** 携	**ク** 佳	**ケ** 機	**コ** 休

3 類義語

1問2点　／10

後の[　]の中のひらがなを漢字に直して、**類義語**を作りなさい。[　]の中のひらがなは**1度だけ**使い、**漢字1字**を書きなさい。

① 回顧―追□
② 繁栄―□盛
③ 未熟―幼□
④ 我慢―□抱
⑤ 無視―□殺

おく・しん・ち・もく・りゅう

---

④ **ジンセキ**未踏の場所へ向かう。　（　　）
⑤ 冠婚**ソウサイ**の場にあう服装。　（　　）
⑥ 困苦**ケツボウ**の日々が続く。　（　　）
⑦ **ケイコウ**牛後がモットーだ。　（　　）
⑧ **シンケン**勝負を見守る。　（　　）
⑨ **フミン**不休で完成させた作品。　（　　）
⑩ 無味**カンソウ**な小説だった。　（　　）

6 書き取り

1問2点　／16

次の――線の**カタカナ**を**漢字**に直しなさい。

① ビルの中を**セイソウ**する。　（　　）
② 人の**サイボウ**を研究する。　（　　）
③ ステージで**キンチョウ**した。　（　　）
④ **ジャアク**な存在がいる。　（　　）
⑤ **マコト**の字を旗に書く。　（　　）
⑥ 練習に**ア**きてしまった。　（　　）
⑦ くつを脱いで**アサセ**を渡る。　（　　）
⑧ 警官に**アヤ**しまれた。　（　　）

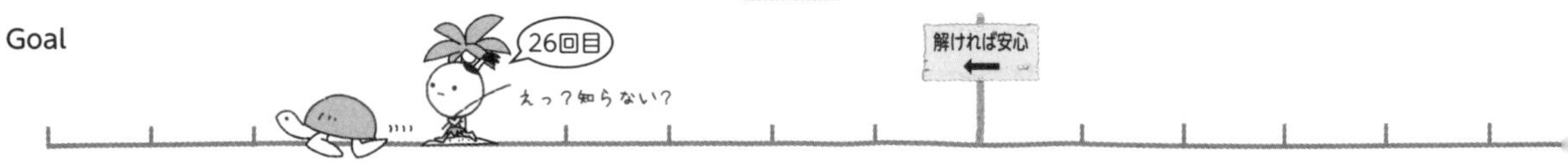

第27回 ミニテスト

目標 10分

月　日

/90点

目標63点

解答：別冊P.16

1 読み

1問1点　/10

次の――線の**漢字の読み**を**ひらがな**で書きなさい。

① 仕あげの**塗装**をする。（　　）
② **本邦**初公開の映画だ。（　　）
③ 全員で景品を**争奪**する。（　　）
④ 彼女への**遺恨**が残る。（　　）
⑤ 人知を**超越**した存在だ。（　　）
⑥ **清廉**な人として知られる。（　　）
⑦ 飲み会で**粗相**した。（　　）
⑧ 子どもが**浅瀬**で泳ぐ。（　　）
⑨ **華**やかな道を歩む。（　　）
⑩ 牛の乳を**搾**っている。（　　）

4 熟語の構成

1問2点　/22

熟語の構成のしかたには次のようなものがあります。

ア 同じような意味の漢字を重ねたもの　（例…**岩石**）
イ 反対または対応の意味を表す字を重ねたもの　（例…**高低**）
ウ 上の字が下の字を修飾しているもの　（例…**洋画**）
エ 下の字が上の字の目的語・補語になっているもの　（例…**着席**）
オ 上の字が下の字の意味を打ち消しているもの　（例…**非常**）

①～⑪の**熟語**は、右の**ア～オ**のどれにあたるか、**1つ**選び、**記号**で答えなさい。

① 佳作（　）
② 霊魂（　）
③ 不穏（　）
④ 変換（　）
⑤ 傍聴（　）
⑥ 脱獄（　）
⑦ 浮沈（　）
⑧ 硬貨（　）
⑨ 欠乏（　）
⑩ 引率（　）
⑪ 惜春（　）

5 四字熟語

1問2点　/20

次の**四字熟語**の――線の**カタカナ**を**漢字**に直し、**2字**を書きなさい。

① 千載**イチグウ**のチャンスだ。（　　）
② 兵の士気**コウヨウ**をうながす。（　　）
③ 旅行は用意**バンタン**だ。（　　）

Start　とてもよく出る　よく出る

2 同音・同訓異字

1問2点　／12

次の——線の**カタカナ**にあてはまる漢字をそれぞれの**ア**～**オ**から**1つ**選び、**記号**で答えなさい。

① **サイ**務を相談する。（　　）
② **サイ**事会場へ行く。（　　）
③ 多**サイ**な技がある。（　　）
（**ア** 彩　**イ** 債　**ウ** 最　**エ** 催　**オ** 際）

④ **ホウ**仕活動にいそしむ。（　　）
⑤ **ホウ**落事故が起こる。（　　）
⑥ **ホウ**子をまきちらす。（　　）
（**ア** 抱　**イ** 奉　**ウ** 砲　**エ** 崩　**オ** 胞）

3 対義語

1問2点　／10

後の□の中のひらがなを漢字に直して、**対義語**を作りなさい。□の中のひらがなは**1度だけ**使い、**漢字1字**を書きなさい。

① 公開 ― 秘□
② 簡略 ― □細
③ 自慢 ― □下
④ 復路 ― □路
⑤ 増加 ― □減

おう・さく・しょう・とく・ひ

---

④ エースが**コグン**奮闘する。（　　）
⑤ **イッショク**即発の状況だ。（　　）
⑥ 栄枯**セイスイ**の世を嘆く。（　　）
⑦ 新人を鼓舞**ゲキレイ**する。（　　）
⑧ **タンダイ**心小を実行する。（　　）
⑨ 腹痛で七転**バットウ**する。（　　）
⑩ 無罪**ホウメン**となった。（　　）

6 書き取り

1問2点　／16

次の——線の**カタカナ**を**漢字**に直しなさい。

① **ヨウチ**な言い回しだ。（　　）
② **ヤバン**な行動をいましめる。（　　）
③ 割引の**ユウコウ**期限が切れた。（　　）
④ 社長**レイジョウ**と結婚した。（　　）
⑤ 弧を**エガ**いてボールが飛ぶ。（　　）
⑥ 満足するには**ホドトオ**い。（　　）
⑦ 傷ついた小鳥を**アワ**れむ。（　　）
⑧ 子どもはやがて**スダ**つ。（　　）

Goal

リクガメだから
わからないって？
27回目

解ければ安心

第28回

ミニテスト

目標 10 分

月　日

/74点　目標52点

解答：別冊P.17

1 読み

1問1点　/10

次の——線の**漢字の読み**を**ひらがな**で書きなさい。

① 出会ったいきさつを**暴露**する。（　　）
② 資産を知人に**譲渡**する。（　　）
③ 昨日の行動を**聴取**する。（　　）
④ 怒られて**動揺**する。（　　）
⑤ **痛恨**のミスを犯した。（　　）
⑥ **零細**業者を支援する。（　　）
⑦ **福祉**施設で働いている。（　　）
⑧ **侍**が一人で敵陣に乗り込む。（　　）
⑨ 彼女との**名残**は尽きない。（　　）
⑩ 友とスポーツで**競**う。（　　）

4 部首

1問1点　/10

次の漢字の**部首**を**ア～エ**から**1つ**選び、**記号**で答えなさい。

① 既（ア 日　イ 艮　ウ ノ　エ 旡）（　　）
② 犠（ア 牜　イ 羊　ウ 弋　エ 戈）（　　）
③ 啓（ア 一　イ 戸　ウ 攵　エ 口）（　　）
④ 酵（ア 西　イ 酉　ウ 土　エ 子）（　　）
⑤ 鶏（ア ⺤　イ 人　ウ 灬　エ 鳥）（　　）
⑥ 伐（ア 亻　イ 丶　ウ 弋　エ 戈）（　　）
⑦ 募（ア 艹　イ 日　ウ 力　エ 八）（　　）
⑧ 邪（ア 旡　イ 牙　ウ 丨　エ 阝）（　　）
⑨ 霊（ア ⻗　イ 冂　ウ 二　エ 立）（　　）
⑩ 裂（ア 歹　イ 夕　ウ 刂　エ 衣）（　　）

5 誤字訂正

1問2点　/16

次の各文にまちがって使われている**同じ読みの漢字**が**1字**あります。**上に誤字**を、**下に正しい漢字**を書きなさい。

誤　正

① 災害対策の甘さに継鐘を鳴らす。（　　）〔　　〕
② 小説の候釈のため勉学に精を出す。（　　）〔　　〕

Start　とてもよく出る ←　よく出る ←

2 同音・同訓異字

1問2点　/12

次の——線の**カタカナ**にあてはまる漢字をそれぞれの**ア**～**オ**から**1つ**選び、**記号**で答えなさい。

① **カ**作に選ばれた。（　　）
② **カ**美な装飾を取り外す。（　　）
③ **カ**空の人物を演じる。（　　）
（**ア** 佳　**イ** 架　**ウ** 華　**エ** 果　**オ** 箇）

④ 広告を**ケイ**載する。（　　）
⑤ 社員カードは必**ケイ**だ。（　　）
⑥ 短い休**ケイ**をとる。（　　）
（**ア** 掲　**イ** 携　**ウ** 憩　**エ** 系　**オ** 傾）

3 類義語

1問2点　/10

後の□の中のひらがなを漢字に直して、**類義語**を作りなさい。□の中のひらがなは**1度だけ**使い、**漢字1字**を書きなさい。

① 外聞 ― 体□
② 便利 ― 重□
③ 強行 ― □行
④ 独自 ― □有
⑤ 困苦 ― □酸

さい・しん・だん・とく・ほう

---

③ 敵情思察で選手の負傷が判明した。（　　）［　　］
④ 目を閉じて意識の深想に到達する。（　　）［　　］
⑤ 予算超可となり資金が不足する。（　　）［　　］
⑥ 大型船が近隣の港に堤泊する。（　　）［　　］
⑦ 党率のとれた軍隊が組織される。（　　）［　　］
⑧ 有脳な人材に高給を約束する。（　　）［　　］

6 書き取り

1問2点　/16

次の——線の**カタカナ**を**漢字**に直しなさい。

① 他球団への**イセキ**が決まった。（　　）
② 酒は**イッテキ**も飲めない。（　　）
③ 頭上に**オウカン**をいただく。（　　）
④ 会議が**カイサイ**されている。（　　）
⑤ 昔のことが心に**ウ**かぶ。（　　）
⑥ じゃがいもを油で**ア**げる。（　　）
⑦ **オクバ**がずきずきと痛む。（　　）
⑧ **カタトキ**も忘れない。（　　）

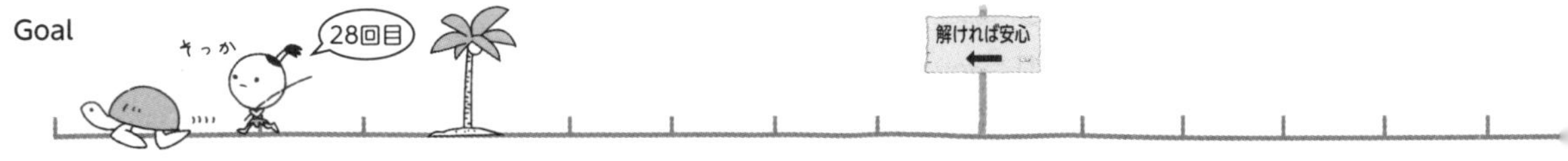

第29回
ミニテスト

解ければ安心！

目標 10 分

月　日

/86点
目標61点

解答：別冊P.17

1 読み

1問1点　/10

次の――線の**漢字の読み**を**ひらがな**で書きなさい。

① 訴えを**棄却**する。（　　）
② 首位を**奪回**する。（　　）
③ 届いた品物を**開封**する。（　　）
④ 自分の身が**破滅**する。（　　）
⑤ **恥辱**にまみれた体験だ。（　　）
⑥ 本件に**付随**する事件。（　　）
⑦ **画壇**に登場する。（　　）
⑧ 彼は**幻**を見たようだ。（　　）
⑨ **賢**い子供がいたものだ。（　　）
⑩ **粗削**りだが才能はある。（　　）

4 送りがな

1問2点　/20

次の――線の**カタカナ**を**漢字1字**と**送りがな（ひらがな）**に直しなさい。

① 父の敵を**ニクム**。（　　）
② お互いに身を**ヨセル**。（　　）
③ この問題は**ヤサシイ**。（　　）
④ 巨大な城を**キズク**。（　　）
⑤ 申し出を**ココロヨク**思う。（　　）
⑥ スポーツが**サカンナ**国。（　　）
⑦ **シアワセナ**結末を迎える。（　　）
⑧ 今日で仕事を**ヤメル**。（　　）
⑨ 後輩の相談に時間を**サク**。（　　）
⑩ 客人を自宅に**マネク**。（　　）

5 四字熟語

1問2点　/20

次の**四字熟語**の――線の**カタカナ**を**漢字**に直し、**2字**を書きなさい。

① 応急**ショチ**の方法を学ぶ。（　　）
② **センシ**万紅の光景が広がる。（　　）
③ 予想は九分**クリン**当たった。（　　）

Start　とてもよく出る ←　よく出る ←

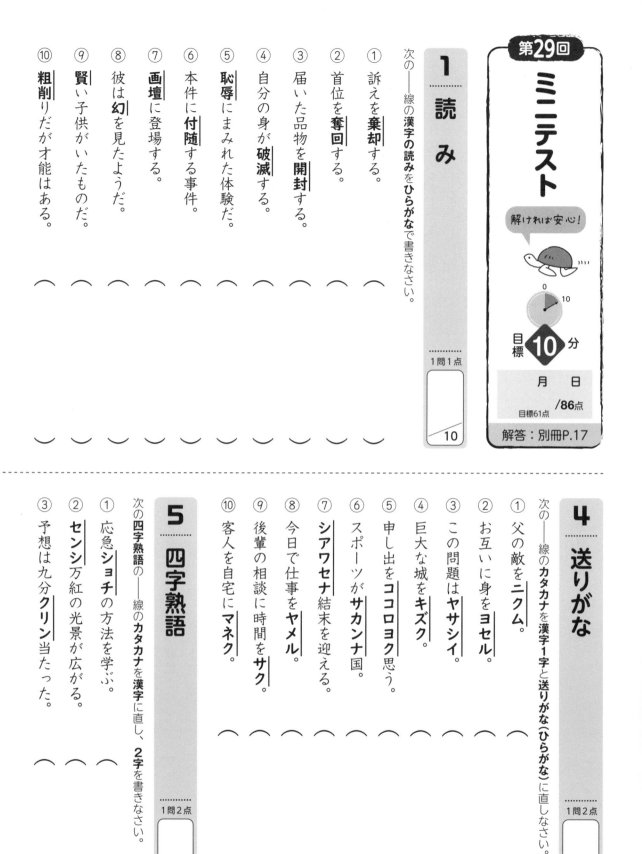

2 漢字識別

次の3つの□に**共通する漢字**を入れて熟語を作りなさい。漢字は[　]から**1つ**選び、**記号**で答えなさい。

1問2点　/10

① □岸・港□・□曲
② □号・切□・□丁
③ □明・□視・浸□
④ □越・□過・□人
⑤ 興□・□起・□運

ア 湾	**イ** 符	**ウ** 沿	**エ** 隆	**オ** 沖
カ 透	**キ** 超	**ク** 未	**ケ** 上	**コ** 奮

3 対義語

後の[　]の中のひらがなを漢字に直して、**対義語**を作りなさい。[　]の中のひらがなは**1度だけ**使い、**漢字1字**を書きなさい。

1問2点　/10

① 優待 ― 冷□
② 促進 ― □制
③ 抽象 ― □体
④ 拘束 ― □放
⑤ 極楽 ― 地□

かい・ぐ・ぐう・ごく・よく

④ 批判され**イキ**消沈した。
⑤ 彼は天下**ムソウ**の戦士だ。
⑥ **ゼヒ**善悪がわかる人だ。
⑦ 異端**ジャセツ**だと言われる教え。
⑧ 二人**サンキャク**で物事を進める。
⑨ 青息**トイキ**の状態だ。
⑩ 機械を**エンカク**操作する。

6 書き取り

次の――線の**カタカナ**を**漢字**に直しなさい。

1問2点　/16

① **カカン**な攻撃が功を奏した。
② **カクゴ**を決める時が来た。
③ **カクジツ**な証拠を握る。
④ 恵まれた**カンキョウ**で育つ。
⑤ **カガヤ**かしい業績を残す。
⑥ **カラ**いソースをかける。
⑦ 祖父が**キク**の花を育てる。
⑧ 最近はよく肩が**コ**る。

第30回 ミニテスト

目標 10 分

月　日

/90点　目標63点

解答：別冊P.17

1 読み

次の——線の**漢字の読み**を**ひらがな**で書きなさい。

1問1点　/10

① 予想外の**犠牲**が出た。（　　）
② 世界各国を**漂泊**する。（　　）
③ 確かな**審美眼**を持つ。（　　）
④ 他社に**追随**している。（　　）
⑤ **港湾**を整備する。（　　）
⑥ 規制を**緩和**する。（　　）
⑦ **骨髄**移植を行った。（　　）
⑧ **硬**い石をさわる。（　　）
⑨ **穏**やかな日々を過ごす。（　　）
⑩ 夜に**肝試**しをする。（　　）

4 熟語の構成

とてもよく出る

熟語の構成のしかたには次のようなものがあります。

1問2点　/22

ア　同じような意味の漢字を重ねたもの　（例…**岩石**）
イ　反対または対応の意味を表す字を重ねたもの　（例…**高低**）
ウ　上の字が下の字を修飾しているもの　（例…**洋画**）
エ　下の字が上の字の目的語・補語になっているもの　（例…**着席**）
オ　上の字が下の字の意味を打ち消しているもの　（例…**非常**）

①～⑪の**熟語**は、右の**ア～オ**のどれにあたるか、**1つ**選び、**記号**で答えなさい。

① 休憩（　）
② 倹約（　）
③ 択一（　）
④ 孤独（　）
⑤ 鎮魂（　）
⑥ 遭遇（　）
⑦ 不滅（　）
⑧ 養豚（　）
⑨ 栄冠（　）
⑩ 賞罰（　）
⑪ 夢幻（　）

5 四字熟語

よく出る

次の**四字熟語**の——線の**カタカナ**を**漢字**に直し、**2字**を書きなさい。

1問2点　/20

① そのコートは**カロ**冬扇だ。（　　）
② **サンシ**水明を求める。（　　）
③ 合格を知り狂喜**ランブ**した。（　　）

2 同音・同訓異字

1問2点　／12

次の――線の**カタカナ**にあてはまる漢字をそれぞれの**ア〜オ**から**1つ**選び、**記号**で答えなさい。

① 汗と涙の結**ショウ**だ。

② 意見が**ショウ**突する。

③ 警**ショウ**を鳴らす。

（**ア** 床　**イ** 晶　**ウ** 衝　**エ** 鐘　**オ** 昇）

④ 委員を公**ボ**する。

⑤ 昔の恩師を敬**ボ**する。

⑥ **ボ**記の資格をとる。

（**ア** 墓　**イ** 暮　**ウ** 募　**エ** 慕　**オ** 簿）

3 類義語

1問2点　／10

後の□の中のひらがなを漢字に直して、**類義語**を作りなさい。□の中のひらがなは**1度だけ**使い、**漢字1字**を書きなさい。

① 増援―加□

② 虚構―□空

③ 処罰―制□

④ 妨害―□入

⑤ 排出―□去

か・かい・さい・じょ・せい

④ 地盤**チンカ**した影響が出る。

⑤ **キカイ**千万な出来事が起こる。

⑥ **センザイ**意識に働きかける。

⑦ やっと**オメイ**返上できた。

⑧ すでに**メンキョ**皆伝だ。

⑨ 全員が一心**ドウタイ**となる。

⑩ 話を聞くほど**タキ**亡羊となった。

6 書き取り

1問2点　／16

次の――線の**カタカナ**を**漢字**に直しなさい。

① わかめを**カンソウ**させる。

② 運動会の**キバ**戦に参加する。

③ 血液が赤黒く**ギョウコ**した。

④ 試合の**シュウリョウ**を告げる。

⑤ **カラクチ**のお酒を好む。

⑥ 刀で鉛筆を**ケズ**る。

⑦ 後輩を食事に**サソ**う。

⑧ **ス**んだ空気を胸に吸い込む。

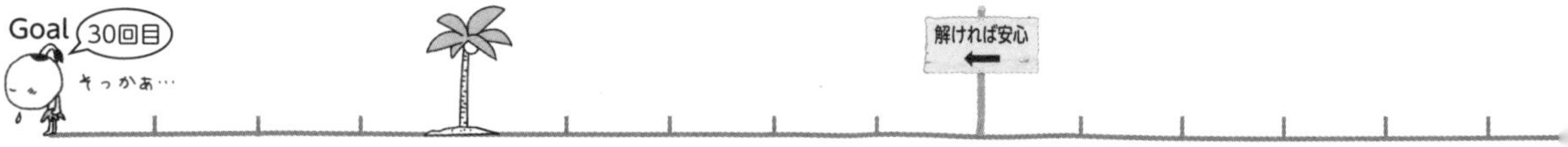

勉強の「やる気」を出すコツ

毎日忙しいなかで、資格の勉強をするのは大変だし、やる気が出ないこともありますよね。でも、せっかく受けるのなら合格しないとお金も時間ももったいない！　そこで、勉強のやる気アップのコツをお伝えします。

❶ 周りの人を巻き込んで、味方をたくさんつくる！

試験で大事なのは、1人きりで勉強しないこと。どんなに意志の強い人でも、1人きりで頑張り続けるのはとても難しいことです。たくさんの人に目標を話して、仲間や応援してくれる人を見つけましょう。

やってみよう

- □「一緒に受けよう！」と友達をさそってみる
- □ SNS や勉強アプリなどを使って、同じ試験を受ける仲間を見つける
- □ リビングやトイレに「3級合格！」と書いた紙を貼って、家族に応援してもらう

❷ 勉強したら、すぐに誰かにシェアする

資格勉強で難しいのは、結果がすぐに見えないこと。今の努力の成果が見えるのが、1か月、2か月先、と言われるとつらいですよね。そこで、やる気を出すために自分で「ごほうび」をつくりましょう。おすすめは、勉強したら誰かにシェアすること。みんなの反応をごほうびにするとやる気が出ます。

やってみよう

- □ 勉強を始めたとき、終わったときに SNS に投稿
  （「勉強する」と宣言した手前、しばらくは携帯をいじりにくくなる効果も）
- □ ミニテストの結果や、まちがえた問題をクイズにして投稿する
- □ 同じ試験を目指す仲間と、問題を出し合ってみる

❸ すぐにやる。悩む時間をゼロにする！

勉強は「始めるまで」がつらいですよね。部屋の汚れや携帯がつい気になってしまう人も多いのではないでしょうか。スムーズに始めるコツはただ一つ「とりあえずすぐやる」こと。「まず〇〇をやってから…」という準備はやめましょう。まずは眺めるだけ、5 問解くだけでも OK。週に1度、整った環境で2時間勉強するより、毎日 10 分勉強するほうが力がつきます。

また、10 秒悩んで解けない問題は、答えを見てしまいましょう。同じ時間を使うなら、覚えてない漢字に悩むより、答えを見ながら書いて覚えるほうが効率的です。

やってみよう

- □ 朝、机の上に問題集を開いておいて、帰ってきたらすぐに解く
- □ ミニテストの問題を携帯で写真にとっておいて、空いた時間に眺める
- □ 10 秒思い浮かばなかったら、さっさと答えを見る

第２章

総仕上げ 模擬テスト

模擬テストの使い方

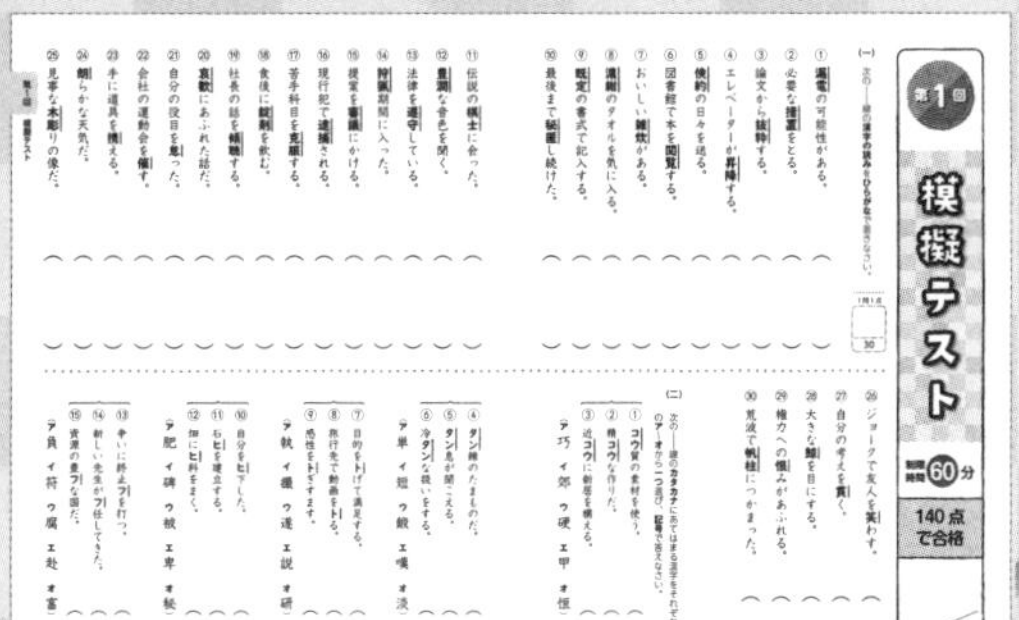

本試験型の模擬テスト

実際の試験と同じ形式の模擬テスト。

試験に慣れるつもりで、制限時間60分を計ってチャレンジしましょう。時間配分を考えて、見直しの時間をしっかり取るのがポイント。

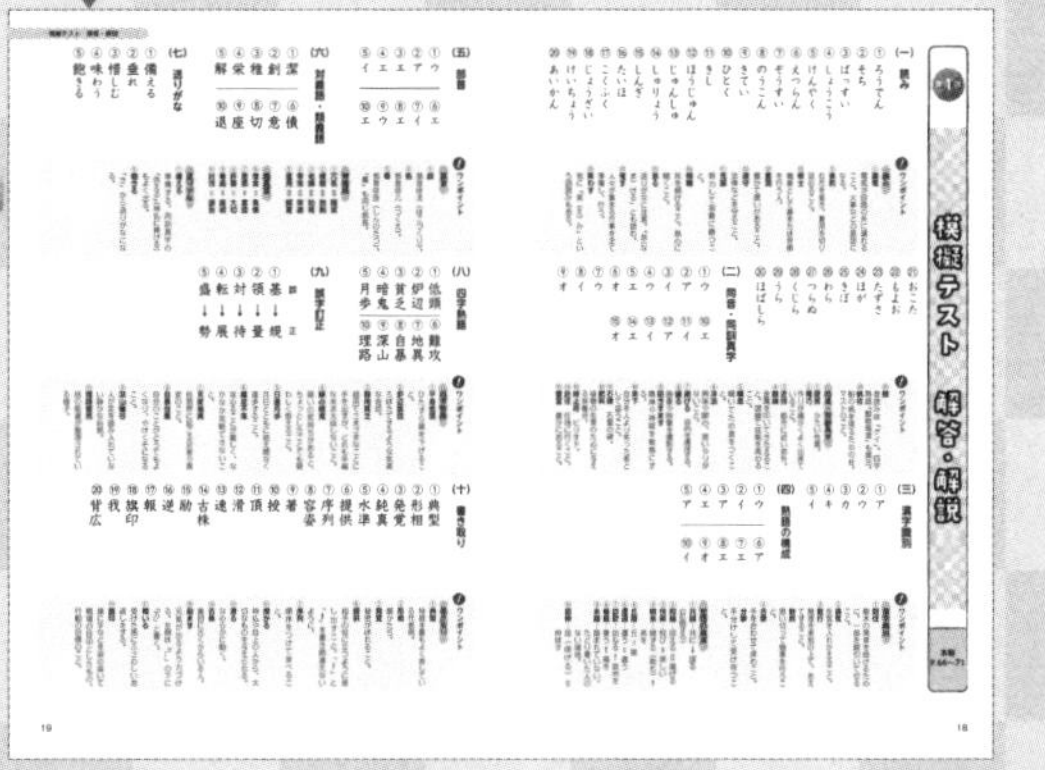

別冊解答で答え合わせ

合格ラインの70％（140点）に届いたか、チェック。届かなかった人は、弱点分野や時間配分を見直しましょう。プラス1点に役立つ解説つき。

第1回

模擬テスト

制限時間 60分

140点で合格

/200

解答 別冊P.18～19

(一) 次の――線の**漢字の読み**を**ひらがな**で書きなさい。

1問1点 /30

① **漏電**の可能性がある。（　　）
② 必要な**措置**をとる。（　　）
③ 論文から**抜粋**する。（　　）
④ エレベーターが**昇降**する。（　　）
⑤ **倹約**の日々を送る。（　　）
⑥ 図書館で本を**閲覧**する。（　　）
⑦ おいしい**雑炊**がある。（　　）
⑧ **濃紺**のタオルを気に入る。（　　）
⑨ **既定**の書式で記入する。（　　）
⑩ 最後まで**秘匿**し続けた。（　　）

㉖ ジョークで友人を**笑**わす。（　　）
㉗ 自分の考えを**貫**く。（　　）
㉘ 大きな**鯨**を目にする。（　　）
㉙ 権力への**恨**みがあふれる。（　　）
㉚ 荒波で**帆柱**につかまった。（　　）

(二) 次の――線の**カタカナ**にあてはまる漢字をそれぞれの**ア～オ**から**一つ**選び、**記号**で答えなさい。

1問2点 /30

① **コウ**質の素材を使う。（　　）
② 精**コウ**な作りだ。（　　）
③ 近**コウ**に新居を構える。（　　）

（**ア** 巧　**イ** 郊　**ウ** 硬　**エ** 甲　**オ** 恒）

⑪ 伝説の**棋士**に会った。（　）
⑫ **豊潤**な音色を聞く。（　）
⑬ 法律を**遵守**している。（　）
⑭ **狩猟**期間に入った。（　）
⑮ 提案を**審議**にかける。（　）
⑯ 現行犯で**逮捕**される。（　）
⑰ 苦手科目を**克服**する。（　）
⑱ 食後に**錠剤**を飲む。（　）
⑲ 社長の話を**傾聴**する。（　）
⑳ **哀歓**にあふれた話だ。（　）
㉑ 自分の役目を**怠**った。（　）
㉒ 会社の運動会を**催**す。（　）
㉓ 手に道具を**携**える。（　）
㉔ **朗**らかな天気だ。（　）
㉕ 見事な**木彫**りの像だ。（　）

④ **タン**錬のたまものだ。（　）
⑤ **タン**息が聞こえる。（　）
⑥ 冷**タン**な扱いをする。（　）
（ア 単　イ 短　ウ 鍛　エ 嘆　オ 淡）

⑦ 目的を**ト**げて満足する。（　）
⑧ 旅行先で動画を**ト**る。（　）
⑨ 感性を**ト**ぎすます。（　）
（ア 執　イ 撮　ウ 遂　エ 説　オ 研）

⑩ 自分を**ヒ**下した。（　）
⑪ 石**ヒ**を建立する。（　）
⑫ 畑に**ヒ**料をまく。（　）
（ア 肥　イ 碑　ウ 被　エ 卑　オ 秘）

⑬ 争いに終止**フ**を打つ。（　）
⑭ 新しい先生が**フ**任してきた。（　）
⑮ 資源の豊**フ**な国だ。（　）
（ア 負　イ 符　ウ 腐　エ 赴　オ 富）

(三) ①～⑤の三つの□に**共通する漢字**を入れて熟語を作りなさい。漢字は**ア～コ**から**一つ**選び、**記号**で答えなさい。

1問2点 / 10

① □採・討□・間□ （　）
② □気・交□・□金 （　）
③ 果□・□行・□然 （　）
④ □握・合□・分□ （　）
⑤ □視・□固・□縮 （　）

ア 伐　**イ** 凝　**ウ** 換　**エ** 唱　**オ** 物
カ 敢　**キ** 掌　**ク** 滅　**ケ** 活　**コ** 敵

(五) 次の漢字の**部首**を**ア～エ**から**一つ**選び、**記号**で答えなさい。

1問1点 / 10

① 戯 （ア 虍　イ 弋　ウ 戈　エ 丶） （　）
② 疾 （ア 疒　イ 广　ウ 冫　エ 矢） （　）
③ 衝 （ア 彳　イ ノ　ウ 里　エ 行） （　）
④ 処 （ア ノ　イ 夕　ウ 夂　エ 几） （　）
⑤ 辱 （ア 厂　イ 辰　ウ 衣　エ 寸） （　）
⑥ 殴 （ア 匚　イ 几　ウ 又　エ 殳） （　）
⑦ 孔 （ア 一　イ 子　ウ 亅　エ し） （　）
⑧ 勘 （ア 日　イ し　ウ 儿　エ 力） （　）
⑨ 髪 （ア 長　イ 彡　ウ 髟　エ 又） （　）
⑩ 焦 （ア ノ　イ 亻　ウ 隹　エ 灬） （　）

(四) **熟語の構成**のしかたには次のようなものがあります。

1問2点 /20

ア　同じような意味の漢字を重ねたもの。　(**岩石**)
イ　反対または対応の意味を表す字を重ねたもの。　(**高低**)
ウ　上の字が下の字を修飾しているもの。　(**洋画**)
エ　下の字が上の字の目的語・補語になっているもの。　(**着席**)
オ　上の字が下の字の意味を打ち消しているもの。　(**非常**)

次の熟語は、右の**ア**～**オ**のどれにあたるか、**一つ**選び、**記号**で答えなさい。

①　共謀（　　）
②　抑揚（　　）
③　悦楽（　　）
④　喫茶（　　）
⑤　丘陵（　　）
⑥　遭遇（　　）
⑦　訪欧（　　）
⑧　養鶏（　　）
⑨　未踏（　　）
⑩　屈伸（　　）

(六) 後の□の中のひらがなを漢字に直して□に入れ、**対義語**・**類義語**を作りなさい。□の中のひらがなは**一度だけ**使い、**漢字一字**を書きなさい。

1問2点 /20

対義語

①　冗長―簡□
②　模倣―独□
③　老練―幼□
④　零落―□達
⑤　雇用―□雇

類義語

⑥　借金―負□
⑦　思惑―□図
⑧　肝要―大□
⑨　看過―□視
⑩　討伐―□治

い・えい・かい・けつ・ざ・さい・せつ・そう・たい・ち

（七）次の——線のカタカナを**漢字一字**と**送りがな**（**ひらがな**）に直しなさい。

1問2点 ／10

〈例〉**カナラズ**合格する。（必ず）

① 多くの物資を**ソナエル**。（　）
② 桜の枝が**タレ**ている。（　）
③ 少しの手間を**オシム**。（　）
④ 和食のコースを**アジワウ**。（　）
⑤ 同じゲームに**アキル**。（　）

（八）文中の**四字熟語**の——線の**カタカナ**を**漢字**に直し、**二字**書きなさい。

1問2点 ／20

① 顧客に平身**テイトウ**で接する。（　）
② 父との**ロヘン**談話を楽しむ。（　）
③ 彼は器用**ビンボウ**なたちだ。（　）
④ この場の全員が疑心**アンキ**になる。（　）
⑤ 医療は日進**ゲッポ**の世界だ。（　）

（十）次の——線の**カタカナ**を**漢字**に直しなさい。

1問2点 ／40

① 日本人の**テンケイ**だ。（　）
② 恐ろしい**ギョウソウ**だ。（　）
③ はったりだと**ハッカク**する。（　）
④ **ジュンシン**な心で接する。（　）
⑤ ある**スイジュン**を保つ。（　）
⑥ お茶を**テイキョウ**する。（　）
⑦ 新人が**ジョレツ**を乱した。（　）
⑧ **ヨウシ**に恵まれて美しい。（　）
⑨ **イチジル**しい躍進だ。（　）

⑥ **ナンコウ**不落の美女がいる。（　　）
⑦ 人々が天変**チイ**を恐れる。（　　）
⑧ 部屋で一人、**ジボウ**自棄になる。（　　）
⑨ **シンザン**幽谷を見に行く。（　　）
⑩ スピーチは**リロ**整然としていた。（　　）

（九）次の各文にまちがって使われている**同じ読みの漢字が一字**あります。**上に誤字**を、**下に正しい漢字**を書きなさい。

1問2点　／10

	誤	正
① 大基模な予算を承認する前に用途を子細に聞く。	（　　）	〔　　〕
② 接客態度に立腹し、怒鳴った自身の狭領さを恥じた。	（　　）	〔　　〕
③ 講演を兼ねて訪れた先で夕食に招対され、情報共有の場となった。	（　　）	〔　　〕
④ 新規の事業転開を画策したが、詳細な検討の結果、見送りとなった。	（　　）	〔　　〕
⑤ 敵国との連戦が続き、自国軍が劣盛との報告が届いた。	（　　）	〔　　〕

⑩ **サズ**かった品を見せる。（　　）
⑪ 高価な品を**イタダ**く。（　　）
⑫ 床がツルツル**スベ**る。（　　）
⑬ **スミ**やかに届け出る。（　　）
⑭ 彼は**フルカブ**の一人だ。（　　）
⑮ チームメイトを**ハゲ**ます。（　　）
⑯ **サカ**さまにぶら下がる。（　　）
⑰ 祖父の恩に**ムク**いる。（　　）
⑱ 武将の**ハタジルシ**がある。（　　）
⑲ みな**ワレ**先にと走る。（　　）
⑳ 毎朝、**セビロ**を着る。（　　）

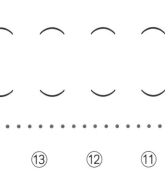

第2回

模擬テスト

制限時間 60分

140点で合格

/200

解答 別冊P.20～21

(一) 次の――線の**漢字の読み**を**ひらがな**で書きなさい。

1問1点 /30

① **卓越**した実力がある。（　）
② 業界の将来を**憂慮**する。（　）
③ ウイルスを**抑制**する。（　）
④ 彼は**校閲**の専門家だ。（　）
⑤ ある物事を**抽象**化する。（　）
⑥ 失言を**悔恨**する。（　）
⑦ **闘魂**あふれる選手だ。（　）
⑧ **惜敗**したことを引きずる。（　）
⑨ ここは**穏便**に話をしよう。（　）
⑩ 彼はしばらく**潜伏**する。（　）

㉖ 橋を**架**ける工事をする。（　）
㉗ **心憎**い演技であった。（　）
㉘ 服がまだ**湿**っている。（　）
㉙ せいろで**蒸**して食べる。（　）
㉚ あたりに**鐘**が鳴り響く。（　）

(二) 次の――線の**カタカナ**にあてはまる漢字をそれぞれの**ア～オ**から**一つ**選び、**記号**で答えなさい。

1問2点 /30

① **キ**士の一手に注目する。（　）
② 商品**キ**画を持ち込む。（　）
③ **キ**乗し丘を走る。（　）

（**ア** 騎　**イ** 軌　**ウ** 棋　**エ** 企　**オ** 既）

⑪ 有名な**畜産**家がいる。（　　）
⑫ 資料を**改訂**して渡す。（　　）
⑬ **慈悲**の心で接する。（　　）
⑭ **随時**、検討していく。（　　）
⑮ 近くで**墳墓**が発見された。（　　）
⑯ **潔癖**症《しょう》で常に手を洗う。（　　）
⑰ 毎日の**鍛錬**を欠かさない。（　　）
⑱ 料金支払いを**催促**された。（　　）
⑲ デッサンで**輪郭**をとる。（　　）
⑳ 内部の権力を**掌握**する。（　　）
㉑ 売上が**著**しく増加した。（　　）
㉒ とうとう娘が**嫁**いでいく。（　　）
㉓ 不正の証拠で相手を**脅**す。（　　）
㉔ 身を**粉**にして働く。（　　）
㉕ **雇**った人に指示する。（　　）

④ **コ**客に接している。（　　）
⑤ **コ**立して味方がいない。（　　）
⑥ **コ**状列島の一つだ。（　　）
（**ア** 雇　**イ** 顧　**ウ** 孤　**エ** 誇　**オ** 弧）

⑦ 気を引き**シ**める。（　　）
⑧ かなりの割合を**シ**める。（　　）
⑨ 労働を**シ**いられる。（　　）
（**ア** 敷　**イ** 締　**ウ** 閉　**エ** 占　**オ** 強）

⑩ 航空機は**ヨウ**力で浮く。（　　）
⑪ 童**ヨウ**を歌う。（　　）
⑫ 皇帝を**ヨウ**立する。（　　）
（**ア** 容　**イ** 揚　**ウ** 謡　**エ** 要　**オ** 擁）

⑬ 彼は**ロウ**人している。（　　）
⑭ **ロウ**下を進んでいく。（　　）
⑮ **ロウ**上から眺《なが》める。（　　）
（**ア** 楼　**イ** 廊　**ウ** 老　**エ** 浪　**オ** 郎）

(三)

①〜⑤の三つの□に**共通する漢字**を入れて熟語を作りなさい。漢字は**ア〜コ**から**一つ**選び、**記号**で答えなさい。

1問2点　／10

① □影・□覚・□想　（　　）

② □車・□走・円□　（　　）

③ □張・□密・□急　（　　）

④ 奇□・冷□・境□　（　　）

⑤ □員・□柄・使□　（　　）

ア 撮　**イ** 緊　**ウ** 遇　**エ** 納　**オ** 怪
カ 役　**キ** 拡　**ク** 幻　**ケ** 滑　**コ** 全

(五)

次の漢字の**部首**を**ア〜エ**から**一つ**選び、**記号**で答えなさい。

1問1点　／10

① 敢（**ア** 二　**イ** 耳　**ウ** 攵　**エ** 又）（　　）

② 獄（**ア** 口　**イ** 犭　**ウ** 言　**エ** 犬）（　　）

③ 審（**ア** 宀　**イ** 米　**ウ** 采　**エ** 田）（　　）

④ 瀬（**ア** 口　**イ** 貝　**ウ** 頁　**エ** 氵）（　　）

⑤ 逮（**ア** 辶　**イ** 一　**ウ** 氺　**エ** 隶）（　　）

⑥ 髄（**ア** 冂　**イ** 骨　**ウ** 月　**エ** 辶）（　　）

⑦ 冠（**ア** 冖　**イ** 二　**ウ** 儿　**エ** 寸）（　　）

⑧ 載（**ア** 土　**イ** 車　**ウ** 一　**エ** 戈）（　　）

⑨ 老（**ア** 土　**イ** ノ　**ウ** 耂　**エ** 匕）（　　）

⑩ 漏（**ア** 氵　**イ** 厂　**ウ** 尸　**エ** 雨）（　　）

(四)　**熟語の構成**のしかたには次のようなものがあります。

1問2点　20

ア　同じような意味の漢字を重ねたもの。　　（**岩石**）
イ　反対または対応の意味を表す字を重ねたもの。　（**高低**）
ウ　上の字が下の字を修飾しているもの。　　（**洋画**）
エ　下の字が上の字の目的語・補語になっているもの。（**着席**）
オ　上の字が下の字の意味を打ち消しているもの。（**非常**）

次の熟語は、右の**ア**～**オ**のどれにあたるか、**一つ**選び、**記号**で答えなさい。

① 尊卑（　）
② 栄辱（　）
③ 慰霊（　）
④ 捕鯨（　）
⑤ 傍聴（　）
⑥ 辛勝（　）
⑦ 未納（　）
⑧ 添削（　）
⑨ 硬貨（　）
⑩ 衝突（　）

(六)　後の□の中のひらがなを漢字に直して□に入れ、**対義語**・**類義語**を作りなさい。□の中のひらがなは**一度だけ**使い、**漢字一字**を書きなさい。

1問2点　20

対義語

① 違反―□守
② 虐待―愛□
③ 難解―平□
④ 穏健―過□
⑤ 強制―□意

類義語

⑥ 精勤―勤□
⑦ 貧困―困□
⑧ 出納―□支
⑨ 大筋―□略
⑩ 妨害―□魔

い・がい・く・げき・ご・じゃ・しゅう・じゅん・にん・べん

（七）次の――線のカタカナを**漢字一字と送りがな（ひらがな）**に直しなさい。

1問2点　／10

〈例〉**カナラズ**合格する。（必ず）

① 式の末席に**ツラナル**。（　）

② 今日も**ホガラカナ**一日だ。（　）

③ 最後の確認を**オコタル**。（　）

④ フライパンが**コゲ**つく。（　）

⑤ 彼を約束で**シバル**。（　）

（八）文中の**四字熟語**の――線のカタカナを**漢字**に直し、**二字**書きなさい。

1問2点　／20

① 名所**キュウセキ**を一覧にする。（　）

② 無謀な計画など**ショウシ**千万だ。（　）

③ **ヒャッキ**夜行の世から身を守る。（　）

④ **チョクジョウ**径行をたしなめる。（　）

⑤ **ユダン**大敵だと言い聞かせる。（　）

（十）次の――線の**カタカナ**を**漢字**に直しなさい。

1問2点　／40

① 取り組む**シセイ**を見せる。（　）

② 夜に**セイザ**を観測する。（　）

③ 出会ったのは**グウゼン**だ。（　）

④ **ドクソウ**的な器だ。（　）

⑤ 水玉の**モヨウ**を描く。（　）

⑥ デッサンを**テンラン**する。（　）

⑦ 国民の所得に**カゼイ**する。（　）

⑧ 古い家を**ホシュウ**する。（　）

⑨ パワーに**テイヒョウ**がある。（　）

⑥ **シタサキ**三寸の話にだまされた。（　　）

⑦ 流言**ヒゴ**が街にあふれる。（　　）

⑧ 驚天**ドウチ**の記事が世をにぎわす。（　　）

⑨ 危急**ソンボウ**の場面で大将を仰ぐ。（　　）

⑩ **ドウショウ**異夢の前提で話をする。（　　）

（九）

次の各文にまちがって使われている**同じ読みの漢字**が**一字**あります。**上に誤字**を、**下に正しい漢字**を書きなさい。

1問2点　／10

	誤	正
① 派手な衣章を用意した役者が入念に練習を重ねて本番に臨む。	（　　）	〔　　〕
② 父の臨終間際に偉産相続の議論が再燃し、無神経だと注意された。	（　　）	〔　　〕
③ 大学の対抗戦で観集が熱狂して声援と怒号がとびかった。	（　　）	〔　　〕
④ 象諸した提案内容を熟読すると、認識の相違が散見された。	（　　）	〔　　〕
⑤ 受験勉強に没投するあまり周囲への配慮に欠けて迷惑をかけた。	（　　）	〔　　〕

⑩ エースだと**ジフ**している。（　　）

⑪ トラブルに**タイショ**する。（　　）

⑫ 浜で初日の出を**オガ**む。（　　）

⑬ 彼が**ワザワ**いをもたらした。（　　）

⑭ 植物が根を**ハ**やす。（　　）

⑮ 思わず**ウタガ**ってしまった。（　　）

⑯ この話はそこが**キモ**だ。（　　）

⑰ 玄関で**コヅツミ**を渡される。（　　）

⑱ なぜか彼は**イナオ**った。（　　）

⑲ **カザム**きが悪くなった。（　　）

⑳ **ケワ**しい顔つきになった。（　　）

第3回 模擬テスト

制限時間 60分

140点で合格

/200

解答 別冊P.22～23

(一) 次の――線の**漢字の読み**を**ひらがな**で書きなさい。

1問1点 /30

① どうにか**検閲**を通った。（　）
② **霊峰**がそびえたつ。（　）
③ 何の**屈託**もないようだ。（　）
④ **殊勝**な行いだと言われる。（　）
⑤ **果敢**な態度でいどむ。（　）
⑥ **添削**された答案がある。（　）
⑦ 外国の小説を**翻訳**する。（　）
⑧ 建物の**修繕**を頼む。（　）
⑨ **廉価**版を買う。（　）
⑩ **殺伐**とした風景が広がる。（　）

㉖ 計画が**滞**っている。（　）
㉗ 母にこってり**絞**られた。（　）
㉘ **既**に知っていることだ。（　）
㉙ 写真を多く**撮**っている。（　）
㉚ **魂**が入った著作だ。（　）

(二) 次の――線の**カタカナ**にあてはまる漢字をそれぞれのア～オから**一つ**選び、**記号**で答えなさい。

1問2点 /30

① 新人を**キョウ**威に思う。（　）
② 山**キョウ**にある村だ。（　）
③ 一人で絶**キョウ**する。（　）

（**ア** 恐　**イ** 脅　**ウ** 況　**エ** 峡　**オ** 叫）

⑪ **耐乏**しながらいきる。（　　）
⑫ 父が神楽を**奉納**する。（　　）
⑬ そう言われて**恐悦**だ。（　　）
⑭ **凝結**の実験をする。（　　）
⑮ **虚飾**だらけの話だ。（　　）
⑯ 小さな島に**漂着**した。（　　）
⑰ 団体で**丘陵**にむかう。（　　）
⑱ 完成された妙技に**詠嘆**する。（　　）
⑲ **雪辱**に燃えている。（　　）
⑳ **衝動**を抑える。（　　）
㉑ 劇団の**旗揚**げを祝う。（　　）
㉒ 自らの注意不足を**悔**やむ。（　　）
㉓ 天井から水が**漏**れる。（　　）
㉔ 最後の最後まで**粘**る。（　　）
㉕ 風船が大きく**膨**らむ。（　　）

④ **ショウ**土と化した。（　　）
⑤ **ショウ**格試験を受ける。（　　）
⑥ 師**ショウ**に相談する。（　　）
（ア 昇　イ 焦　ウ 承　エ 匠　オ 詳）

⑦ 彼の脱退を**ソ**止する。（　　）
⑧ 建物の基**ソ**を作る。（　　）
⑨ その場しのぎの**ソ**置をとる。（　　）
（ア 阻　イ 措　ウ 礎　エ 訴　オ 組）

⑩ やっと**トク**心した。（　　）
⑪ **トク**名で書き込みした。（　　）
⑫ 危**トク**状態にある。（　　）
（ア 徳　イ 得　ウ 匿　エ 篤　オ 特）

⑬ 道路を**ハ**いて落ち葉をひろう。（　　）
⑭ うさぎが**ハ**ねている。（　　）
⑮ 自らの行為に**ハ**じ入る。（　　）
（ア 吐　イ 掃　ウ 張　エ 跳　オ 恥）

(三)

①～⑤の三つの□に**共通する漢字**を入れて熟語を作りなさい。漢字は**ア～コ**から**一つ**選び、**記号**で答えなさい。

1問2点 ／10

① 悲□・□願・□歌 （　　）
② □数・土□・□発 （　　）
③ □示・□載・前□ （　　）
④ □近・□俗・□劣 （　　）
⑤ □道・□跡・常□ （　　）

ア 卑　**イ** 場　**ウ** 偶　**エ** 側　**オ** 哀
カ 劇　**キ** 掲　**ク** 身　**ケ** 軌　**コ** 表

(五)

次の漢字の**部首**を**ア～エ**から**一つ**選び、**記号**で答えなさい。

1問1点 ／10

① 赴 （**ア** 土　**イ** 𧾷　**ウ** 走　**エ** 卜） （　　）
② 企 （**ア** 人　**イ** 止　**ウ** 丨　**エ** 一） （　　）
③ 喫 （**ア** 口　**イ** 王　**ウ** 刀　**エ** 大） （　　）
④ 郊 （**ア** 亠　**イ** 八　**ウ** 父　**エ** 阝） （　　）
⑤ 卓 （**ア** 一　**イ** 十　**ウ** 日　**エ** 卜） （　　）
⑥ 房 （**ア** 戸　**イ** 尸　**ウ** 亠　**エ** 方） （　　）
⑦ 暫 （**ア** 車　**イ** 斤　**ウ** 日　**エ** 口） （　　）
⑧ 藩 （**ア** 艹　**イ** 氵　**ウ** 釆　**エ** 田） （　　）
⑨ 骨 （**ア** 冂　**イ** 冖　**ウ** 月　**エ** 骨） （　　）
⑩ 墓 （**ア** 艹　**イ** 日　**ウ** 八　**エ** 土） （　　）

(四) **熟語の構成**のしかたには次のようなものがあります。

1問2点 ／20

ア　同じような意味の漢字を重ねたもの。　**(岩石)**
イ　反対または対応の意味を表す字を重ねたもの。　**(高低)**
ウ　上の字が下の字を修飾しているもの。　**(洋画)**
エ　下の字が上の字の目的語・補語になっているもの。　**(着席)**
オ　上の字が下の字の意味を打ち消しているもの。　**(非常)**

次の熟語は、右の**ア**～**オ**のどれにあたるか、**一つ**選び、**記号**で答えなさい。

① 犠牲（　）
② 愚問（　）
③ 鎮痛（　）
④ 養豚（　）
⑤ 栄冠（　）
⑥ 湖畔（　）
⑦ 不審（　）
⑧ 愛憎（　）
⑨ 乾湿（　）
⑩ 催眠（　）

(六) 後の□の中のひらがなを漢字に直して□に入れ、**対義語**・**類義語**を作りなさい。□の中のひらがなは**一度だけ**使い、**漢字一字**を書きなさい。

1問2点 ／20

対義語

① 妨害―□力
② 華美―質□
③ 繁栄―□落
④ 郊外―□心
⑤ 虚構―□実

類義語

⑥ 拘留―□閉
⑦ 決心―覚□
⑧ 警護―護□
⑨ 低俗―下□
⑩ 認可―許□

えい・きょう・ご・じ・そ・だく・と・ひん・ぼつ・ゆう

（七）

次の――線の**カタカナ**を**漢字一字**と**送りがな（ひらがな）**に直しなさい。

1問2点　/10

〈例〉 **カナラズ**合格する。（必ず）

① せいろでシュウマイを**ムス**。（　　）

② 長年田畑を**タガヤス**。（　　）

③ 非礼なふるまいを**アヤマル**。（　　）

④ 話を聞かずに**アワテル**。（　　）

⑤ 自分の主張を**ツラヌク**。（　　）

（八）

文中の**四字熟語**の――線の**カタカナ**を**漢字**に直し、**二字**書きなさい。

1問2点　/20

① 人の考え方は**センサ**万別だ。（　　）

② 天衣**ムホウ**な油絵を鑑賞する。（　　）

③ 意志**ハクジャク**な態度に腹が立った。（　　）

④ 適者**セイゾン**の世の中だ。（　　）

⑤ 娘に**ジュクリョ**断行をうながす。（　　）

（十）

次の――線の**カタカナ**を**漢字**に直しなさい。

1問2点　/40

① 巨大な**テキ**と戦う。（　　）

② **ガイトウ**でビラを配る。（　　）

③ **メイロウ**な少年と会う。（　　）

④ **ジュントウ**な昇進と言える。（　　）

⑤ 流行に**ビンジョウ**する。（　　）

⑥ 取引先と**シンゼン**を深める。（　　）

⑦ 二つの案から**センタク**する。（　　）

⑧ 非難されるのは**ヒツゼン**だ。（　　）

⑨ 敗れた**ヨウイン**がある。（　　）

⑥ 容姿**タンレイ**な男女が出演する。（　　　）
⑦ **ソセイ**濫造の機械が壊れる。（　　　）
⑧ 一喜**イチユウ**する時間はない。（　　　）
⑨ この国は門戸**カイホウ**している。（　　　）
⑩ 彼に言っても**バジ**東風だ。（　　　）

(九)

次の各文にまちがって使われている**同じ読みの漢字**が**一字**あります。**上に誤字**を、**下に正しい漢字**を書きなさい。

1問2点

10

	誤	正
① 大型船に載せた価物が破損して、その責任問題となり混乱した。	（　）	〔　〕
② 政党が社会状況を考え、法律の壊正を提案した。	（　）	〔　〕
③ 有志があつまり、近隣の町の景観保全運動を推新する。	（　）	〔　〕
④ 有識者たちが世間の動行を注視して、次の一手を討議する。	（　）	〔　〕
⑤ 服容中の常備薬が切れたので、病院で新たに処方してもらった。	（　）	〔　〕

⑩ 友人に**チュウコク**する。（　　　）
⑪ 晴天に恵まれた旅**ビヨリ**だ。（　　　）
⑫ よく**コ**えた牛がいる。（　　　）
⑬ 有名人たちが**ツド**う。（　　　）
⑭ 祖母のお金を**アズ**かる。（　　　）
⑮ パンフレットを**ス**る。（　　　）
⑯ モチが長く**ノ**びる。（　　　）
⑰ 彼らは**ム**れて行動する。（　　　）
⑱ 父の**セ**は高かった。（　　　）
⑲ **シタウ**ちが聞こえた。（　　　）
⑳ 白米を**タ**いている。（　　　）

第4回 模擬テスト

制限時間 60分

140点で合格

/200

解答 別冊P.24～25

（一）次の――線の**漢字の読み**を**ひらがな**で書きなさい。

1問1点　/30

① **放浪**の旅に出た。（　　）
② デモを**鎮圧**する。（　　）
③ 敵のプレーを**阻害**する。（　　）
④ **暫時**休みを取る。（　　）
⑤ 花がつよい**芳香**を放つ。（　　）
⑥ **慈善**事業に取り組む。（　　）
⑦ **精巧**な作品を世に出す。（　　）
⑧ **陶酔**した目をしている。（　　）
⑨ 温泉地に**滞留**している。（　　）
⑩ 行動を**喚起**する言葉だ。（　　）

㉖ 教授の講義を**聴**いた。（　　）
㉗ 我思う、**故**に我あり。（　　）
㉘ 服を脱いで**裸**になる。（　　）
㉙ **怪**しい動きをしている。（　　）
㉚ 例の件を部長に**諮**る。（　　）

（二）次の――線の**カタカナ**にあてはまる漢字をそれぞれの**ア～オ**から**一つ**選び、**記号**で答えなさい。

1問2点　/30

① 彼との別れを**オ**しむ。（　　）
② 父の**オ**い立ちを知る。（　　）
③ 染めた糸で布を**オ**る。（　　）

（**ア** 生　**イ** 惜　**ウ** 押　**エ** 起　**オ** 織）

⑪ システム改修を**促進**する。（　　）
⑫ 私がお**相伴**しましょう。（　　）
⑬ 仕事の**慰労**会を行う。（　　）
⑭ 彼には自分の**哲学**がある。（　　）
⑮ ケーキを**陳列**する。（　　）
⑯ 彼の提案を**承諾**した。（　　）
⑰ **娯楽**番組が人気になる。（　　）
⑱ 話が**決裂**してしまった。（　　）
⑲ **野菊**が咲く平原。（　　）
⑳ 成功してひとり**悦**に入る。（　　）
㉑ 海外の青い海に**潜**る。（　　）
㉒ 進行を**妨**げられた。（　　）
㉓ 欲の**塊**とかした。（　　）
㉔ マニフェストを**掲**げる。（　　）
㉕ **辛**いカレーを食べる。（　　）

④ 天の**ケイ**示を受けた。（　　）
⑤ **ケイ**約を確認する。（　　）
⑥ 一つの**ケイ**向がある。（　　）
（ア 契　イ 傾　ウ 啓　エ 刑　オ 携）

⑦ 節**ケン**してつましく暮らす。（　　）
⑧ 医学の先**ケン**と肩を並べる。（　　）
⑨ 自動車保**ケン**に加入する。（　　）
（ア 堅　イ 倹　ウ 遣　エ 賢　オ 険）

⑩ 間違いをすぐに**テイ**正した。（　　）
⑪ **テイ**王として君臨する。（　　）
⑫ **テイ**抗力をつける。（　　）
（ア 訂　イ 底　ウ 抵　エ 帝　オ 弟）

⑬ 部下を激**レイ**する。（　　）
⑭ **レイ**体の存在を信じる。（　　）
⑮ 自分の年**レイ**を伝える。（　　）
（ア 励　イ 領　ウ 礼　エ 霊　オ 齢）

(三) ①〜⑤の三つの□に**共通する漢字**を入れて熟語を作りなさい。漢字は**ア**〜**コ**から**一つ**選び、**記号**で答えなさい。

1問2点 /10

① □名・秘□・隠□（　）
② □渡・分□・□歩（　）
③ 養□・□頭・軍□（　）
④ 高□・□水・掲□（　）
⑤ □装・□説・□定（　）

ア 本　**イ** 量　**ウ** 分　**エ** 揚　**オ** 仮
カ 低　**キ** 匿　**ク** 譲　**ケ** 鶏　**コ** 盛

(五) 次の漢字の**部首**を**ア**〜**エ**から**一つ**選び、**記号**で答えなさい。

1問1点 /10

① 卸（**ア** 二　**イ** 止　**ウ** 卩　**エ** ｜）（　）
② 超（**ア** 土　**イ** 走　**ウ** 刀　**エ** 口）（　）
③ 貫（**ア** 一　**イ** 毋　**ウ** 目　**エ** 貝）（　）
④ 倣（**ア** 亻　**イ** 亠　**ウ** 方　**エ** 攵）（　）
⑤ 我（**ア** ノ　**イ** 一　**ウ** 亅　**エ** 戈）（　）
⑥ 顧（**ア** 戸　**イ** 隹　**ウ** 頁　**エ** 貝）（　）
⑦ 彫（**ア** 冂　**イ** 土　**ウ** 口　**エ** 彡）（　）
⑧ 某（**ア** 一　**イ** 日　**ウ** 甘　**エ** 木）（　）
⑨ 嬢（**ア** 女　**イ** 亠　**ウ** 八　**エ** 衣）（　）
⑩ 掛（**ア** 扌　**イ** 亅　**ウ** 土　**エ** 卜）（　）

(四) **熟語の構成**のしかたには次のようなものがあります。

1問2点 / 20

ア 同じような意味の漢字を重ねたもの。 （**岩石**）
イ 反対または対応の意味を表す字を重ねたもの。 （**高低**）
ウ 上の字が下の字を修飾しているもの。 （**洋画**）
エ 下の字が上の字の目的語・補語になっているもの。 （**着席**）
オ 上の字が下の字の意味を打ち消しているもの。 （**非常**）

次の熟語は、右の**ア**～**オ**のどれにあたるか、**一つ**選び、**記号**で答えなさい。

① 粗食（　　）
② 脅威（　　）
③ 赴任（　　）
④ 免税（　　）
⑤ 炊飯（　　）
⑥ 翻意（　　）
⑦ 欠乏（　　）
⑧ 哀歓（　　）
⑨ 塗料（　　）
⑩ 不吉（　　）

(六) 後の［　］の中のひらがなを漢字に直して□に入れ、**対義語**・**類義語**を作りなさい。［　］の中のひらがなは**一度だけ**使い、**漢字一字**を書きなさい。

1問2点 / 20

対義語

① 怠慢―勤□
② 解放―□束
③ 強固―□弱
④ 栄達―□落
⑤ 乾燥―□潤

類義語

⑥ 重体―危□
⑦ 克明―丹□
⑧ 専心―□頭
⑨ 混迷―困□
⑩ 吉報―□報

こう・しつ・とく・にゅう・ねん・べん・ぼっ・れい・ろう・わく

(七)

次の——線のカタカナを**漢字一字と送りがな(ひらがな)**に直しなさい。

1問2点　10

〈例〉 **カナラズ**合格する。(必ず)

① 恩人に**ソムク**行為だ。(　　)

② 売上増加が**イチジルシイ**。(　　)

③ さっと体を**フセル**。(　　)

④ 船でぷかぷかと**タダヨウ**。(　　)

⑤ 部下に異動を**ツゲル**。(　　)

(八)

文中の**四字熟語**の——線の**カタカナ**を**漢字**に直し、**二字**書きなさい。

1問2点　20

① 彼は**イッキョ**両得を目論んでいる。(　　)

② チーム全員が喜色**マンメン**になった。(　　)

③ **キソウ**天外な台本が出来上がる。(　　)

④ **セイレン**潔白の人材を採用する。(　　)

⑤ **カッサツ**自在だと思い込む。(　　)

(十)

次の——線の**カタカナ**を**漢字**に直しなさい。

1問2点　40

① お店を**サイカイ**した。(　　)

② 美術品を**モゾウ**する。(　　)

③ **コウカイ**先に立たず。(　　)

④ 人口の**スイイ**を予測する。(　　)

⑤ **キョウチュウ**を打ち明けた。(　　)

⑥ **キギョウ**が決算を公表する。(　　)

⑦ 彼女の**フタン**が増える。(　　)

⑧ 好きな**エンゲキ**を観る。(　　)

⑨ **ルイジ**の案件を探す。(　　)

⑥ 色彩が千変**バンカ**する。（　　）
⑦ 我々はいつまでも**イタイ**同心だ。（　　）
⑧ **ムビョウ**息災をねがう。（　　）
⑨ 事件の一部**シジュウ**を調べる。（　　）
⑩ 社長は美辞**レイク**を並べ立てた。（　　）

（九）次の各文にまちがって使われている**同じ読みの漢字**が**一字**あります。**上に誤字**を、**下に正しい漢字**を書きなさい。

1問2点　／10

誤　正

① 物事の加限は長年の経験をもつ職人が判断すべき事柄だ。（　）〔　〕
② 新入社員を昼食にさそったが、弁当を自参していると断られた。（　）〔　〕
③ 解決に向けて警視庁の警官が対策本部を設置し、事件を調作する。（　）〔　〕
④ 命運を分ける試合に破れ、帰路でチーム全員が号泣した。（　）〔　〕
⑤ 取引先から欠品対応が不加との連絡があり、計画が停止した。（　）〔　〕

⑩ いよいよ本領**ハッキ**だ。（　　）
⑪ 彼女は**スナオ**な性格だ。（　　）
⑫ せいろで肉まんを**ム**した。（　　）
⑬ 相手に**ナサ**けをかける。（　　）
⑭ 一つ一つ**テサグ**りだ。（　　）
⑮ 販売を待ち**コ**がれる。（　　）
⑯ **ミサカイ**なく勧誘する。（　　）
⑰ 彼を候補者として**オ**す。（　　）
⑱ **イナカ**暮らしを夢みる。（　　）
⑲ **コキザ**みに震えている。（　　）
⑳ **イタ**れり尽くせりだ。（　　）

第5回 模擬テスト

制限時間 60分

140点で合格

200

解答 別冊P.26～27

(一) 次の――線の**漢字の読み**を**ひらがな**で書きなさい。

1問1点 30

① 物語が**佳境**を迎える。（　　）
② いつも**企画**を考えている。（　　）
③ 彼はいつも**邪推**する。（　　）
④ 食料を**潤沢**に用意する。（　　）
⑤ 物事を**円滑**に進める。（　　）
⑥ 農民が総出で**開墾**する。（　　）
⑦ **卓抜**した技術がある。（　　）
⑧ 目標に**焦点**を合わせる。（　　）
⑨ 感情が複雑に**交錯**する。（　　）
⑩ 任務の**完遂**を祝う。（　　）

㉖ **穂**が風になびいている。（　　）
㉗ 別れを**惜**しんでいる。（　　）
㉘ **擦**れた性格になった。（　　）
㉙ だいぶ背が**伸**びた。（　　）
㉚ 感動の結末に目が**潤**む。（　　）

(二) 次の――線の**カタカナ**にあてはまる漢字をそれぞれの**ア**～**オ**から**一つ**選び、**記号**で答えなさい。

1問2点 30

① 売上を**カン**定する。（　　）
② 果**カン**に攻め入る。（　　）
③ 機器を交**カン**する。（　　）

（**ア** 冠　**イ** 勘　**ウ** 敢　**エ** 肝　**オ** 換）

⑪ 町が工場を**誘致**した。（　）
⑫ 権力を**掌中**におさめる。（　）
⑬ かなりご**満悦**の様子だ。（　）
⑭ **密封**容器にいれる。（　）
⑮ 黒幕の**魂胆**を暴く。（　）
⑯ 彼の目は**純粋**だ。（　）
⑰ **常駐**スタッフが仕事する。（　）
⑱ 船で**孤島**に上陸する。（　）
⑲ 甘い言葉に**魅惑**される。（　）
⑳ 相手に**凝視**された。（　）
㉑ **虚栄**を張ってばかりいる。（　）
㉒ アクリル板で**隔**てているだけだ。（　）
㉓ しばらく**哀**しみに暮れた。（　）
㉔ **衰**えを感じさせない。（　）
㉕ テレビゲームに**飽**きた。（　）

④ 過去の過ちを**ク**いる。（　）
⑤ 次第に家が**ク**ちる。（　）
⑥ パートナーを**ク**む。（　）
（**ア** 繰　**イ** 悔　**ウ** 朽　**エ** 組　**オ** 来）

⑦ **コウ**内の採掘現場に入る。（　）
⑧ 通気**コウ**を点検する。（　）
⑨ **コウ**乙つけがたい。（　）
（**ア** 孔　**イ** 甲　**ウ** 坑　**エ** 硬　**オ** 巧）

⑩ 他社製品を排**セキ**する。（　）
⑪ 本**セキ**地を書類に書く。（　）
⑫ 数**セキ**の船が航行する。（　）
（**ア** 斥　**イ** 籍　**ウ** 隻　**エ** 跡　**オ** 席）

⑬ 子の**タイ**動を感じる。（　）
⑭ 銀行強盗を**タイ**捕する。（　）
⑮ **タイ**慢な行動だ。（　）
（**ア** 胎　**イ** 逮　**ウ** 体　**エ** 滞　**オ** 怠）

(三)

①～⑤の三つの□に**共通する漢字**を入れて熟語を作りなさい。漢字は**ア～コ**から**一つ**選び、**記号**で答えなさい。

1問2点　／10

① □起・召□・□問　（　　）
② 採□・選□・□一　（　　）
③ □護・□立・抱□　（　　）
④ 興□・□起・□盛　（　　）
⑤ □会・□席・酒□　（　　）

ア 隆　**イ** 用　**ウ** 擁　**エ** 思　**オ** 宴
カ 択　**キ** 介　**ク** 味　**ケ** 再　**コ** 喚

(五)

次の漢字の**部首**を**ア～エ**から**一つ**選び、**記号**で答えなさい。

1問1点　／10

① 契（**ア** 丰　**イ** 王　**ウ** 刀　**エ** 大）（　　）
② 窒（**ア** 宀　**イ** 穴　**ウ** 土　**エ** 至）（　　）
③ 痘（**ア** 广　**イ** 疒　**ウ** 口　**エ** 豆）（　　）
④ 縫（**ア** 糸　**イ** 辶　**ウ** 夂　**エ** 丨）（　　）
⑤ 翌（**ア** 羽　**イ** 亠　**ウ** 口　**エ** 立）（　　）
⑥ 墨（**ア** 里　**イ** 黒　**ウ** 灬　**エ** 土）（　　）
⑦ 癖（**ア** 疒　**イ** 尸　**ウ** 口　**エ** 辛）（　　）
⑧ 帝（**ア** 亠　**イ** 冖　**ウ** 巾　**エ** 立）（　　）
⑨ 辞（**ア** ノ　**イ** 口　**ウ** 舌　**エ** 辛）（　　）
⑩ 慰（**ア** 尸　**イ** 示　**ウ** 寸　**エ** 心）（　　）

(四) **熟語の構成**のしかたには次のようなものがあります。

1問2点 / 20

ア 同じような意味の漢字を重ねたもの。（岩石）
イ 反対または対応の意味を表す字を重ねたもの。（高低）
ウ 上の字が下の字を修飾しているもの。（洋画）
エ 下の字が上の字の目的語・補語になっているもの。（着席）
オ 上の字が下の字の意味を打ち消しているもの。（非常）

次の熟語は、右の**ア**～**オ**のどれにあたるか、**一つ**選び、**記号**で答えなさい。

① 賢愚（　）
② 暫定（　）
③ 墜落（　）
④ 禁猟（　）
⑤ 賞罰（　）
⑥ 未来（　）
⑦ 緩急（　）
⑧ 除湿（　）
⑨ 免責（　）
⑩ 吉凶（　）

(六) 後の□の中のひらがなを漢字に直して□に入れ、**対義語**・**類義語**を作りなさい。□の中のひらがなは**一度だけ**使い、**漢字一字**を書きなさい。

1問2点 / 20

対義語

① 遠隔―近□
② 興奮―□静
③ 支配―従□
④ 不況―□況
⑤ 安定―動□

類義語

⑥ 相当―□合
⑦ 投降―降□
⑧ 成就―□成
⑨ 回顧―追□
⑩ 先導―□導

おく・こう・さん・せつ・ぞく・たっ・ちん・てき・ゆう・よう

（七）次の——線のカタカナを**漢字一字**と**送りがな**（**ひらがな**）に直しなさい。

1問2点　　／10

〈例〉**カナラズ**合格する。（必ず）

① **アヤウイ**行動をする。（　　）

② 敵に対して**カマエル**。（　　）

③ 一気に非難を**アビル**。（　　）

④ 余計な感情を**メッスル**。（　　）

⑤ 世の真理を**サトル**。（　　）

（八）文中の**四字熟語**の——線の**カタカナ**を**漢字**に直し、**二字**書きなさい。

1問2点　　／20

① 一意**センシン**で部活に打ち込む。（　　）

② 祖父は**ハガン**一笑して私の頭をなでた。（　　）

③ 当代**ズイイチ**の浮世絵師だ。（　　）

④ 空前**ゼツゴ**の作品が世に出る。（　　）

⑤ 不用品を**ニソク**三文で売る。（　　）

（十）次の——線の**カタカナ**を**漢字**に直しなさい。

① それを**ネントウ**に置く。（　　）

② 発表者を**ヒハン**する。（　　）

③ 舞台での**ドキョウ**に感服する。（　　）

④ 部の**ギョウセキ**を調べる。（　　）

⑤ 朝まで**トウロン**する。（　　）

⑥ 突然の出来事に**コンラン**した。（　　）

⑦ **ボウメイ**した者が多い。（　　）

⑧ 家の周りを**セイソウ**する。（　　）

⑨ 書類を**ハイケン**する。（　　）

1問2点　　／40

⑥ **セイコウ**雨読の生活を送る。（　　）
⑦ 中隊が**シブン**五裂となる。（　　）
⑧ 意味**シンチョウ**な解説だ。（　　）
⑨ 昔から**メイジツ**一体ではない。（　　）
⑩ **メイロウ**快活な先輩にあこがれる。（　　）

（九）

次の各文にまちがって使われている**同じ読みの漢字**が**一字**あります。**上に誤字**を、**下に正しい漢字**を書きなさい。

1問2点
10

誤　正

① 野球の親善試合での事故で選手の大半が多くの擦過生を負った。（　）〔　〕
② 結婚式の光景をカメラに納めるべく、事前に現場を確認した。（　）〔　〕
③ 普段は厳密に設定されている征限を、非常事態に解除した。（　）〔　〕
④ 出張費と備品代を成算する処理を行ったが、不備があり修正した。（　）〔　〕
⑤ 横断歩道の周辺に定車したが、警官により移動を余儀なくされた。（　）〔　〕

⑩ 進行に**シショウ**が出る。（　　）
⑪ その忠告は**マトハズ**れだ。（　　）
⑫ あり**エ**ない行動だ。（　　）
⑬ 助言が**ホネミ**にしみる。（　　）
⑭ お墓に花を**ソナ**える。（　　）
⑮ 一人で**ユウヤ**けをながめる。（　　）
⑯ 庭の池でメダカを**カ**う。（　　）
⑰ ミスを**オギナ**って勝つ。（　　）
⑱ 努力する人を**ウヤマ**う。（　　）
⑲ **ユビオ**り数えて待つ。（　　）
⑳ 勝利は**マボロシ**と消えた。（　　）

第6回 模擬テスト

制限時間 60分

140点で合格

／200

解答 別冊P.28～29

（一）次の——線の**漢字の読み**を**ひらがな**で書きなさい。

1問1点 ／30

①ある計画が**採択**された。（　　）

②**随分**とご飯の量が多い。（　　）

③全国大会を**開催**する。（　　）

④過去の記録が**克明**にある。（　　）

⑤**猟師**として生きる。（　　）

⑥敵国軍の**脅威**がせまる。（　　）

⑦事業が**軌道**に乗った。（　　）

⑧**冗漫**な文章を書く人だ。（　　）

⑨この商品は**免税**だ。（　　）

⑩**愚問**だと切り捨てる。（　　）

㉖仕事を**請**け負う。（　　）

㉗ミスした仲間を**励**ます。（　　）

㉘**仕掛**け絵本を読む。（　　）

㉙**殴**り合いのけんかをする。（　　）

㉚資料に**難癖**をつけた。（　　）

（二）次の——線の**カタカナ**にあてはまる漢字をそれぞれのア～オから**一つ**選び、**記号**で答えなさい。

1問2点 ／30

①相手の**コン**胆を見抜く。（　　）

②彼との遺**コン**が残る。（　　）

③広い土地を開**コン**する。（　　）

（ア 魂　イ 紺　ウ 恨　エ 困　オ 墾）

⑪ **怠慢**により失敗した。
⑫ とある技術が**衰退**した。
⑬ ミスにより**焦燥**した。
⑭ 白い**陶器**を収集する。
⑮ 急に風船が**破裂**した。
⑯ **隠匿**したまま職場を去る。
⑰ 私には**甲乙**つけられない。
⑱ 下水管の**埋設**工事をする。
⑲ 大量のデータを**抽出**する。
⑳ **鶏**を数羽飼っている。
㉑ 九州の支店に**赴**く。
㉒ パーティーに**誘**われた。
㉓ 内定を**断**ってしまった。
㉔ この学校の規則は**緩**い。
㉕ **凍**えるほどの寒さだ。

④ ゴムが**シン**縮する。
⑤ 改正案が**シン**議に入った。
⑥ パスポートを**シン**請する。
（ア 審　イ 辛　ウ 伸　エ 申　オ 侵）

⑦ 土鍋《なべ》で米を**タ**く。
⑧ きつい練習に**タ**える。
⑨ 母がゆかた用の生地を**タ**つ。
（ア 耐　イ 炊　ウ 垂　エ 裁　オ 食）

⑩ スピーチを拝**チョウ**する。
⑪ 一**チョウ**の資産がある。
⑫ 豆腐を一**チョウ**買う。
（ア 徴　イ 聴　ウ 兆　エ 丁　オ 頂）

⑬ 魚屋に**ホウ**公する。
⑭ 力作を模**ホウ**される。
⑮ **ホウ**子で増える。
（ア 胞　イ 奉　ウ 邦　エ 倣　オ 放）

(三) ①〜⑤の三つの□に**共通する漢字**を入れて熟語を作りなさい。漢字は**ア〜コ**から**一つ**選び、**記号**で答えなさい。

1問2点 /10

① 交□・□誤・□覚 （　）
② □玄・□鬼・□谷 （　）
③ □峰・亡□・□験 （　）
④ 海□・国□・逆□ （　）
⑤ □別・□春・□敗 （　）

ア 流　イ 錯　ウ 巨　エ 賊　オ 冠
カ 幽　キ 惜　ク 霊　ケ 辺　コ 個

(五) 次の漢字の**部首**を**ア〜エ**から**一つ**選び、**記号**で答えなさい。

1問1点 /10

① 吉 （ア 一　イ 十　ウ 士　エ 口） （　）
② 術 （ア 彳　イ 行　ウ 木　エ 丶） （　）
③ 遂 （ア 辶　イ 豸　ウ 一　エ 豕） （　）
④ 婆 （ア 氵　イ 皮　ウ 又　エ 女） （　）
⑤ 翻 （ア 釆　イ 米　ウ 羽　エ 田） （　）
⑥ 乏 （ア ノ　イ 丶　ウ 一　エ 丨） （　）
⑦ 蛮 （ア 亠　イ 廾　ウ 口　エ 虫） （　）
⑧ 窓 （ア 宀　イ 穴　ウ ム　エ 心） （　）
⑨ 奪 （ア 八　イ 大　ウ 隹　エ 寸） （　）
⑩ 塗 （ア 氵　イ 人　ウ 示　エ 土） （　）

(四)

熟語の構成のしかたには次のようなものがあります。

1問2点 20

ア 同じような意味の漢字を重ねたもの。 (岩石)
イ 反対または対応の意味を表す字を重ねたもの。 (高低)
ウ 上の字が下の字を修飾しているもの。 (洋画)
エ 下の字が上の字の目的語・補語になっているもの。 (着席)
オ 上の字が下の字の意味を打ち消しているもの。 (非常)

次の熟語は、右の**ア**～**オ**のどれにあたるか、**一つ**選び、**記号**で答えなさい。

① 未詳（　）
② 存亡（　）
③ 昇降（　）
④ 入籍（　）
⑤ 後悔（　）
⑥ 虚実（　）
⑦ 超越（　）
⑧ 排他（　）
⑨ 引率（　）
⑩ 抑圧（　）

(六)

後の［　］の中のひらがなを漢字に直して□に入れ、**対義語**・**類義語**を作りなさい。［　］の中のひらがなは**一度だけ**使い、**漢字一字**を書きなさい。

1問2点 20

対義語

① 侵害―□護
② 承諾―固□
③ 歓喜―悲□
④ 卑下―□大
⑤ 一般―特□

類義語

⑥ 容赦―□弁
⑦ 没頭―□念
⑧ 脱落―欠□
⑨ 掃討―□放
⑩ 陰謀―計□

あい・かん・じ・しゅ・じょ・せん・そん・つい・よう・りゃく

（七） 次の――線のカタカナを**漢字一字**と**送りがな**（**ひらがな**）に直しなさい。

1問2点 /10

〈例〉 **カナラズ**合格する。（必ず）

① **ヤスラカニ**寝ている。（　）
② 新しい文明が**サカエル**。（　）
③ 悪党たちが**ムレル**。（　）
④ それは**カシコイ**回答だ。（　）
⑤ 信頼関係が**クズレル**。（　）

（八） 文中の**四字熟語**の――線の**カタカナ**を**漢字**に直し、**二字**書きなさい。

1問2点 /20

① 力戦**フントウ**したが負けた。（　）
② **イッキョ**一動に注意を払う。（　）
③ 危機**イッパツ**で切り抜けた。（　）
④ **イシン**伝心の動きを見せた。（　）
⑤ 今は**コジョウ**落日の会社だ。（　）

（十） 次の――線の**カタカナ**を**漢字**に直しなさい。

1問2点 /40

① ミスで**メンモク**をなくした。（　）
② 知人が**ジョウハツ**した。（　）
③ **ケイカイ**な身のこなしだ。（　）
④ 失恋して**カンショウ**的になる。（　）
⑤ 家の電力を**セツゲン**する。（　）
⑥ 歓迎会に**ショウタイ**する。（　）
⑦ 物事の**シャクド**がわかる。（　）
⑧ 池が**ヒア**がりそうだ。（　）
⑨ この村の風習に**ナ**れる。（　）

⑥ 古今**トウザイ**の宝物を集める。（　　）
⑦ **リヒ**曲直がわからない。（　　）
⑧ **ヘイオン**無事に終わってほしい。（　　）
⑨ 不老**チョウジュ**を夢見る。（　　）
⑩ 順風**マンパン**に進んでいった。（　　）

（九）次の各文にまちがって使われている**同じ読みの漢字**が**一字**あります。**上に誤字**を、**下に正しい漢字**を書きなさい。

1問2点　／10

	誤	正
① 図書館で社会福祉の学術雑誌を閲欄する。	（　　）	〔　　〕
② 指示の一部を誤解して、重要事項が記録されたファイルを削助した。	（　　）	〔　　〕
③ 観光で訪れた地域の絶京が見える場所に案内され一同が喜んだ。	（　　）	〔　　〕
④ 知恵に優れた君主が統地する領土は、民衆の暴動が起こらない。	（　　）	〔　　〕
⑤ 遊園地にある大型の迷路は復雑で出口に到達するのが至難の業だ。	（　　）	〔　　〕

⑩ 荒くれ者たちを**タバ**ねる。（　　）
⑪ 隣町との**サカイ**はここだ。（　　）
⑫ 口を固く**ムス**ぶ。（　　）
⑬ 子どもたちが**スコ**やかに育つ。（　　）
⑭ 最後のチャンスを**ツ**げる。（　　）
⑮ 部下に酒を**シ**いる。（　　）
⑯ とても大きな**ツノ**だ。（　　）
⑰ **ヒタイ**に汗が噴き出る。（　　）
⑱ 他人の**ソラニ**だと思う。（　　）
⑲ 敵からの攻撃を**フセ**ぐ。（　　）
⑳ 少女に気を**ユル**した。（　　）

第7回 模擬テスト

制限時間 60分

140点で合格

/200

解答 別冊P.30～31

（一） 次の――線の**漢字の読み**を**ひらがな**で書きなさい。

1問1点　/30

① **帳簿**のミスが直されている。（　　）
② すぐに相手を**魅了**する。（　　）
③ **香炉**を手に入れる。（　　）
④ **突如**として車が動いた。（　　）
⑤ 計画の進行を**凍結**させた。（　　）
⑥ 不意に**契機**が訪れた。（　　）
⑦ 代議士に**陳情**する。（　　）
⑧ いつも**束縛**されている。（　　）
⑨ **匿名**で記事を書く。（　　）
⑩ **数隻**のタンカーがある。（　　）

㉖ 登山者に注意を**促**す。（　　）
㉗ **干上**がった土地を見る。（　　）
㉘ **譲**り合いの気持ちが大切だ。（　　）
㉙ 自分の**癖**を見抜かれる。（　　）
㉚ **桑**の葉を手に入れる。（　　）

（二） 次の――線の**カタカナ**にあてはまる漢字をそれぞれの**ア～オ**から**一つ**選び、**記号**で答えなさい。

1問2点　/30

① 大事な仕事を**ウ**ける。（　　）
② ついに父の敵を**ウ**つ。（　　）
③ 宝物を土に**ウ**める。（　　）

（**ア** 請　**イ** 埋　**ウ** 討　**エ** 撃　**オ** 産）

⑪ 祖父の**危篤**状態が続く。（　　）

⑫ **滞納**していたお金を払う。（　　）

⑬ **昇進**のお祝いをする。（　　）

⑭ **虚勢**が見え見えだ。（　　）

⑮ 彼から**悲哀**を感じる。（　　）

⑯ まず**模倣**から始める。（　　）

⑰ **捕鯨**船に乗ることになった。（　　）

⑱ 巨大な**古墳**が発見される。（　　）

⑲ ゾウリムシが**分裂**する。（　　）

⑳ 選手が**気炎**を吐いている。（　　）

㉑ 旅館で**足袋**を買う。（　　）

㉒ **焦**げくさいにおいがする。（　　）

㉓ 泣いている人を**慰**める。（　　）

㉔ **慌**てずに対処する。（　　）

㉕ 計画をじっくり**企**てる。（　　）

---

④ 豊**ジュン**な大地がある。（　　）

⑤ 法律を**ジュン**守する。（　　）

⑥ 警察が**ジュン**回する。（　　）

（ア 潤　イ 巡　ウ 旬　エ 遵　オ 準）

⑦ きれいな雪の結**ショウ**だ。（　　）

⑧ **ショウ**動的に買う。（　　）

⑨ 半**ショウ**が鳴り響く。（　　）

（ア 鐘　イ 晶　ウ 匠　エ 衝　オ 掌）

⑩ 市場が**ホウ**和している。（　　）

⑪ **ホウ**名を書いていただく。（　　）

⑫ 傷口を**ホウ**合する。（　　）

（ア 縫　イ 放　ウ 飽　エ 芳　オ 倣）

⑬ 美しい丘**リョウ**だ。（　　）

⑭ 食**リョウ**を蓄える。（　　）

⑮ 彼らは狩**リョウ**民族だ。（　　）

（ア 陵　イ 猟　ウ 了　エ 糧　オ 療）

（三）

①〜⑤の三つの□に**共通する漢字**を入れて熟語を作りなさい。漢字は**ア**〜**コ**から**一つ**選び、**記号**で答えなさい。

1問2点 /10

① □点・□下・□落（　）
② □査・□判・主□（　）
③ 王□・衣□・□位（　）
④ □通・一□・突□（　）
⑤ □行・□設・□工（　）

ア 冠　**イ** 明　**ウ** 調　**エ** 貫　**オ** 平
カ 様　**キ** 零　**ク** 審　**ケ** 交　**コ** 施

（五）

次の漢字の**部首**を**ア**〜**エ**から**一つ**選び、**記号**で答えなさい。

1問1点 /10

① 郭（**ア** 亠　**イ** 口　**ウ** 子　**エ** 阝）（　）
② 墾（**ア** 豸　**イ** 犭　**ウ** 艮　**エ** 土）（　）
③ 諮（**ア** 言　**イ** 冫　**ウ** 欠　**エ** 口）（　）
④ 膨（**ア** 月　**イ** 土　**ウ** 口　**エ** 彡）（　）
⑤ 街（**ア** 彳　**イ** 土　**ウ** 行　**エ** 亅）（　）
⑥ 吏（**ア** 一　**イ** 口　**ウ** 人　**エ** ノ）（　）
⑦ 慕（**ア** 艹　**イ** 㣺　**ウ** 大　**エ** 日）（　）
⑧ 賊（**ア** 貝　**イ** 十　**ウ** 弋　**エ** 戈）（　）
⑨ 壱（**ア** 十　**イ** 士　**ウ** 冖　**エ** 匕）（　）
⑩ 賢（**ア** 臣　**イ** 又　**ウ** 貝　**エ** 八）（　）

(四) **熟語の構成**のしかたには次のようなものがあります。

1問2点 / 20

ア 同じような意味の漢字を重ねたもの。 (**岩石**)
イ 反対または対応の意味を表す字を重ねたもの。 (**高低**)
ウ 上の字が下の字を修飾しているもの。 (**洋画**)
エ 下の字が上の字の目的語・補語になっているもの。 (**着席**)
オ 上の字が下の字の意味を打ち消しているもの。 (**非常**)

次の熟語は、右の**ア**～**オ**のどれにあたるか、**一つ**選び、**記号**で答えなさい。

① 精粗 (　　)
② 棄権 (　　)
③ 未遂 (　　)
④ 合掌 (　　)
⑤ 蛮行 (　　)
⑥ 滅亡 (　　)
⑦ 惜春 (　　)
⑧ 夢幻 (　　)
⑨ 波浪 (　　)
⑩ 既知 (　　)

(六) 後の［　］の中のひらがなを漢字に直して□に入れ、**対義語・類義語**を作りなさい。［　］の中のひらがなは**一度だけ**使い、**漢字一字**を書きなさい。

1問2点 / 20

対義語

① 保守―□新
② 率先―追□
③ 協調―□他
④ 過激―□健
⑤ 名誉―恥□

類義語

⑥ 力闘―□戦
⑦ 外聞―体□
⑧ 希望―□待
⑨ 憂慮―□配
⑩ 賢明―明□

おん・かく・き・さい・じょく・しん・ずい・てつ・はい・ふん

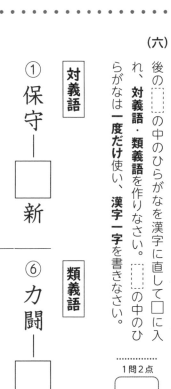

(七) 次の——線の**カタカナ**を**漢字一字**と**送りがな**（**ひらがな**）に直しなさい。

1問2点 ／10

〈例〉 **カナラズ**合格する。（必ず）

① 友から家宝を**アズカル**。（　　）
② 昔に比べると**コエタ**。（　　）
③ 先に所用を**スマセル**。（　　）
④ 素材と色合いに**コル**。（　　）
⑤ えびの天ぷらを**アゲル**。（　　）

(八) 文中の**四字熟語**の——線の**カタカナ**を**漢字**に直し、**二字**書きなさい。

1問2点 ／20

① **ガデン**引水のやり方にあきれる。（　　）
② 一石**ニチョウ**の案を思いつく。（　　）
③ 彼の落選は因果**オウホウ**だ。（　　）
④ 才色**ケンビ**なお方にお目見えした。（　　）
⑤ **キュウテン**直下の事態に動じない。（　　）

(十) 次の——線の**カタカナ**を**漢字**に直しなさい。

① 警官隊に**ホウイ**された。（　　）
② 建築士の**シカク**をとる。（　　）
③ **サイボウ**を使って研究する。（　　）
④ 営業**ジッセキ**を公表する。（　　）
⑤ **シュウヨウ**人数が多い。（　　）
⑥ 苦手な人を**ケイエン**する。（　　）
⑦ **コウミョウ**な手口だ。（　　）
⑧ その答えは**アンイ**だ。（　　）
⑨ **カイマク**戦を観に行く。（　　）

1問2点 ／40

⑥ リッシン出世をなしとげた。（　　）
⑦ 生殺ヨダツの力を手に入れる。（　　）
⑧ デンコウ石火のごとく走る。（　　）
⑨ アクギャク無道ぶりにあきれる。（　　）
⑩ 面従フクハイを相手に見破られる。（　　）

（九）

次の各文にまちがって使われている**同じ読みの漢字**が**一字**あります。**上に誤字**を、**下に正しい漢字**を書きなさい。

1問2点　／10

誤　正

① 営華を極めた生活を当然と感じる世継ぎの姿勢を注意した。（　）〔　〕
② 退院後は単当の専門医が観察して、再発した様子がなければ問題ない。（　）〔　〕
③ 自宅を映画館のように改造した私は、洋画を使聴して満足した。（　）〔　〕
④ 国内や海外の調査結果を収集し、金利の動向の推側を試みる。（　）〔　〕
⑤ 急病人に回復の兆功が見られたので早急に医師に応答を求めた。（　）〔　〕

⑩ 考えたカセツを話す。（　　）
⑪ とてもキンチョウする。（　　）
⑫ メンミツな計画をたてる。（　　）
⑬ シツギを受けつける時間だ。（　　）
⑭ ネズミの侵入をフセグ。（　　）
⑮ 中継地点をヘてたどり着く。（　　）
⑯ お金のことを夫にマカせる。（　　）
⑰ 怖くてチカヨりにくい。（　　）
⑱ 力のミナモトがある。（　　）
⑲ とうとう決勝戦にノゾむ。（　　）
⑳ 矢で飛ぶカラスをイる。（　　）

弱点を克服しよう

漢検３級は 10 分野の問題で構成されます。問題の種類が多いぶん、不得意なジャンルに足を引っ張られる人もいます。合格を確実にするために、自分の強みと弱点を理解しておきましょう。

❶ まずはとにかく解いて、自分の力を試す

１人１人が持っている漢字の知識はそれぞれです。まずは、ミニテストを数回解いて、分野ごとの点数を出してみましょう。本書では別冊の最後のページに「弱点が見つかる！ミニテスト採点表」をつけました。各ジャンルの得点率を出せば、自分の強みと弱点が見えてきます。

もし、苦手分野がたくさんあっても大丈夫。まだ漢字を覚えきれていないだけです。最初は漢字の練習と思って、答えを見ながら解いても OK です。

やってみよう

- □ まずは、５回分解いてみる
- □ 採点表に点数を書いて、分野ごとの得点率を出してみる
- □ 自分の強みと弱点を確認する

❷ 巻末付録で弱点補強！

弱点がわかったら、その部分を集中対策しましょう。

本書の巻末付録には、各ジャンルの「苦手克服！ 分野別攻略法」と「よく出る問題リスト」を用意しました。よく出る問題ばかり集めているので、短い時間で弱点をカバーできます。

やってみよう

- □ 攻略法ページを読んで、問題の解き方をチェック
- □ よく出る問題リストの答えを隠して、暗記リストとして使う

❸ 弱点対策の優先順位を考える

苦手をすべてなくす必要はありません。複数の弱点分野があるときは「その分野の重要度」を考えましょう。例えば「部首」と「書き取り」が苦手な場合、時間をかけるべきなのは書き取り対策です。部首は配点が 10 点と少なめで、しかもマークシート方式でかんたんだからです。P.112 の「分野から見る３級攻略法」を参考に、対策の優先順位をつけましょう。

やってみよう

- □ 分野ごとの配点を頭に入れる
- □ 各分野で何点取れば合格の目安 140 点に届くか計算する
- □ 配点が高く範囲が広い分野を優先して対策する

巻末付録

巻末付録の使い方

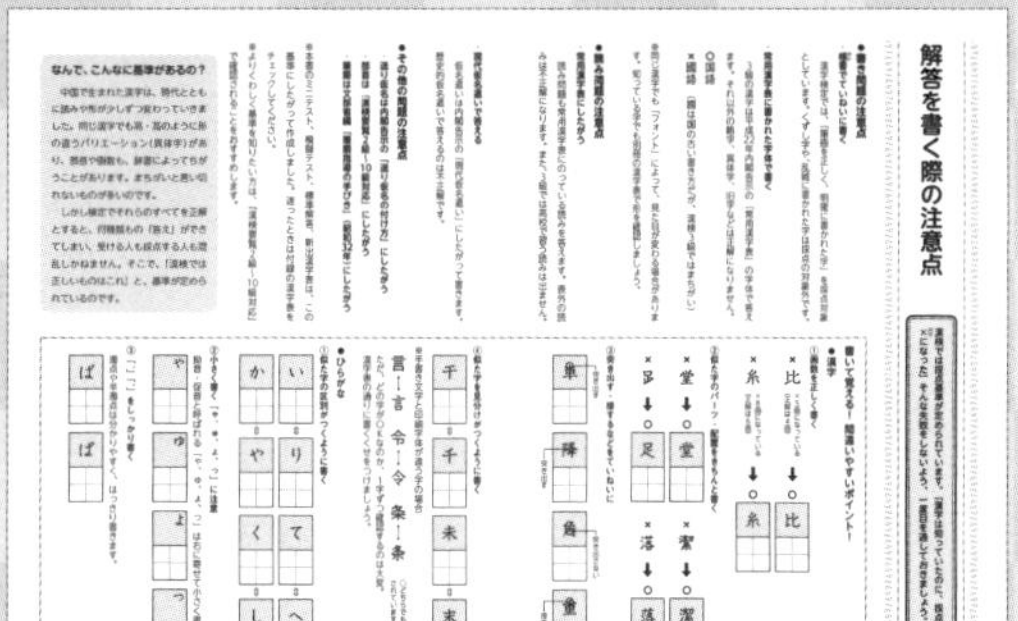

◀目を通しておきたい
お役立ちページ

漢検の配点や、解答を書く際の注意点など、合格のために知っておきたいポイントを紹介しています。

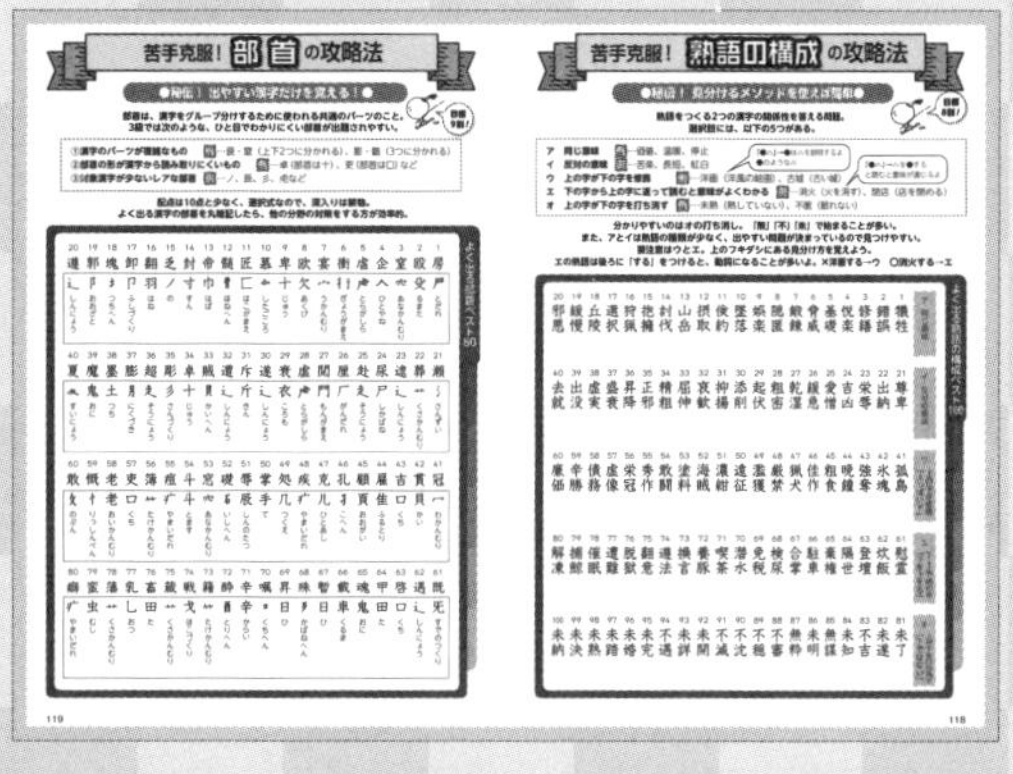

攻略の秘伝＆よく出る問題リスト▶

分野ごとの解き方のコツと、よく出る問題リストを掲載。ここを押さえれば、苦手な問題を攻略できます！

解答を書く際の注意点

漢検では採点基準が定められています。「漢字は知っていたのに、採点基準に合わず×《バツ》になった」そんな失敗をしないよう、一度目を通しておきましょう。

●書き問題の注意点

・楷《かい》書でていねいに書く

漢字検定では、「筆画を正しく、明確に書かれた字」を採点対象としています。くずし字や、乱雑に書かれた字は採点の対象外です。

・常用漢字表に書かれた字体で書く

3級の漢字は平成22年内閣告示の「常用漢字表」の字体で答えます。それ以外の略字、異体字、旧字などは正解になりません。

○国語

×國語　（國は国の古い書き方だが、漢検3級ではまちがい）

※同じ漢字でも「フォント」によって、見た目が変わる場合があります。知っている字でも別冊の漢字表で形を確認しましょう。

●読み問題の注意点

・常用漢字表にしたがう

読み問題も常用漢字表にのっている読みを答えます。表外の読みは不正解になります。また、3級では高校で習う読みは出ません。

書いて覚える！間違いやすいポイント！

●漢字

①画数を正しく書く

×比　×5画になっている（正解は4画）　→　○比

×糸　×8画になっている（正解は6画）　→　○糸

②似た字のパーツ・配置をきちんと書く

×堂　→　○堂

×潔　→　○潔

×足　→　○足

×落　→　○落

③突き出す・接するなどをていねいに

単　突き出す

降　突き出す

角　突き出さない

重　接する

・現代仮名遣いで答える

仮名遣いは内閣告示の「現代仮名遣い」にしたがって書きます。歴史的仮名遣いで答えるのは不正解です。

●その他の問題の注意点

・送り仮名は内閣告示の「送り仮名の付け方」にしたがう

・部首は『漢検要覧2級〜10級対応』にしたがう

・筆順は文部省編『筆順指導の手びき』（昭和32年）にしたがう

※本書のミニテスト、模擬テスト、標準解答、新出漢字表は、この基準にしたがって作成しました。迷ったときは付録の漢字表をチェックしてください。

※よりくわしく基準を知りたい方は、『漢検要覧2級〜10級対応』で確認されることをおすすめします。

なんで、こんなに基準があるの？

中国で生まれた漢字は、時代とともに読みや形が少しずつ変わっていきました。同じ漢字でも高・髙のように形の違うバリエーション（異体字）があり、部首や画数も、辞書によってちがうことがあります。まちがいと言い切れないものが多いのです。

しかし検定でそれらのすべてを正解とすると、何種類もの「答え」ができてしまい、受ける人も採点する人も混乱しかねません。そこで、「漢検では正しいものはこれ」と、基準が定められているのです。

④似た字を見分けがつくように書く

干 ⇔ 千

未 ⇔ 末

※手書き文字と印刷字体が違う字の場合

言 ↔ 言　令 ↔ 令　条 ↔ 条

○どちらでもかまわないとされています。

ただ、どの字がOKなのか、1字ずつ確認するのは大変。漢字表の通りに書くくせをつけましょう。

●ひらがな

①似た字の区別がつくように書く

い ⇔ り ⇔ て ⇔ へ

か ⇔ や ⇔ く ⇔ し

②小さく書く「ゃ、ゅ、ょ、っ」に注意

拗音・促音と呼ばれる「ゃ、ゅ、ょ、っ」は右に寄せて小さく書く。

ゃ　ゅ　ょ　っ

③「゛」「゜」をしっかり書く

濁点や半濁点は分かりやすく、はっきり書きます。

ば　ぱ

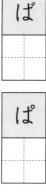

分野から見る3級攻略法

3級では10分野の問題が出されます。分野によって解答方法や配点はさまざま。どの分野で点数をゲットするか、戦略を立てて対策しましょう。

試験内容は変わる場合があります

①読み

30点　1問1点×30問　手書き

漢字の読みをひらがなで書く問題。「高校で習う読み」は出ない。

②同音・同訓異字

30点　1問2点×15問　マークシート

選択肢から、同じ読みの漢字の使い分けを選ぶ問題。漢字の意味を理解しておく必要がある。

③漢字識別

10点　1問2点×5問　マークシート

3つの熟語に共通する漢字を答える問題。二字熟語の知識が問われる。

④熟語の構成

20点　1問2点×10問　マークシート

熟語を作る漢字の関係性を答える問題。苦手な人も多いけれど、解き方のルールさえ分かれば簡単。

合格の目安をゲットする作戦を立てよう

3級の合格の目安は70％程度。つまり、２００点満点中１４０点が必要です。分野ごとの問題の特徴を知り、合格のための「戦略」を立てましょう。

①記号で答える分野

「同音・同訓異字」「漢字識別」「熟語の構成」「部首」

記号問題（マークシート）は、書きまちがいによる減点がないぶん、点数を取りやすい分野です。「まぐれ当たり」もありえるので、自信がない問題でも解答はすべて埋めましょう。

②出題数の多い分野

「書き取り」「読み」「同音・同訓異字」

問題の数も種類も多いのが特徴です。とにかく早めの対策が必要です。「読み」「書き取り」は両方で出る熟語も多いので、関連づけて覚えましょう。

⑤部首

選択肢から、正しい部首を選ぶ問題。覚える量の割に配点が少ないので、出やすい問題だけ覚えよう。

10点　1問1点×10問　マークシート

⑥対義語・類義語

問題に書かれた二字熟語の「対義語」「類義語」を答える問題。難しそうに見えるが、1字は問題に書かれており、読みの選択肢のヒントもある。

20点　1問2点×10問　手書き

⑦送りがな

漢字と送りがなを書く問題。「どこからひらがなで書くか」を覚える必要があるが、それ以外は書き取りと同じ。

10点　1問2点×5問　手書き

⑧四字熟語

四字熟語の中の2字を漢字で書く問題。3級になると普段聞いたことのない熟語も増えてくる。他のジャンルとの重複が少なく、専用の対策が必要。

20点　1問2点×10問　手書き

⑨誤字訂正

文章の間違いを見つけて正しい字を書く問題。いくつかのパターンはあるが、2字熟語の知識の総合力が問われる。

10点　1問2点×5問　手書き

⑩書き取り

カタカナを漢字に直す問題。漢字の知識のほか、その漢字だとわかるよう「ていねい」に書く力も重要。

40点　1問2点×20問　手書き

③専用の対策が必要な分野

「熟語の構成」「対義語・類義語」「四字熟語」「部首」

その分野に特化した知識が必要な分野です。点数も比較的多く手が抜けません。ただし、同じ問題がくりかえし出やすく、一度攻略できれば得点源にできます。

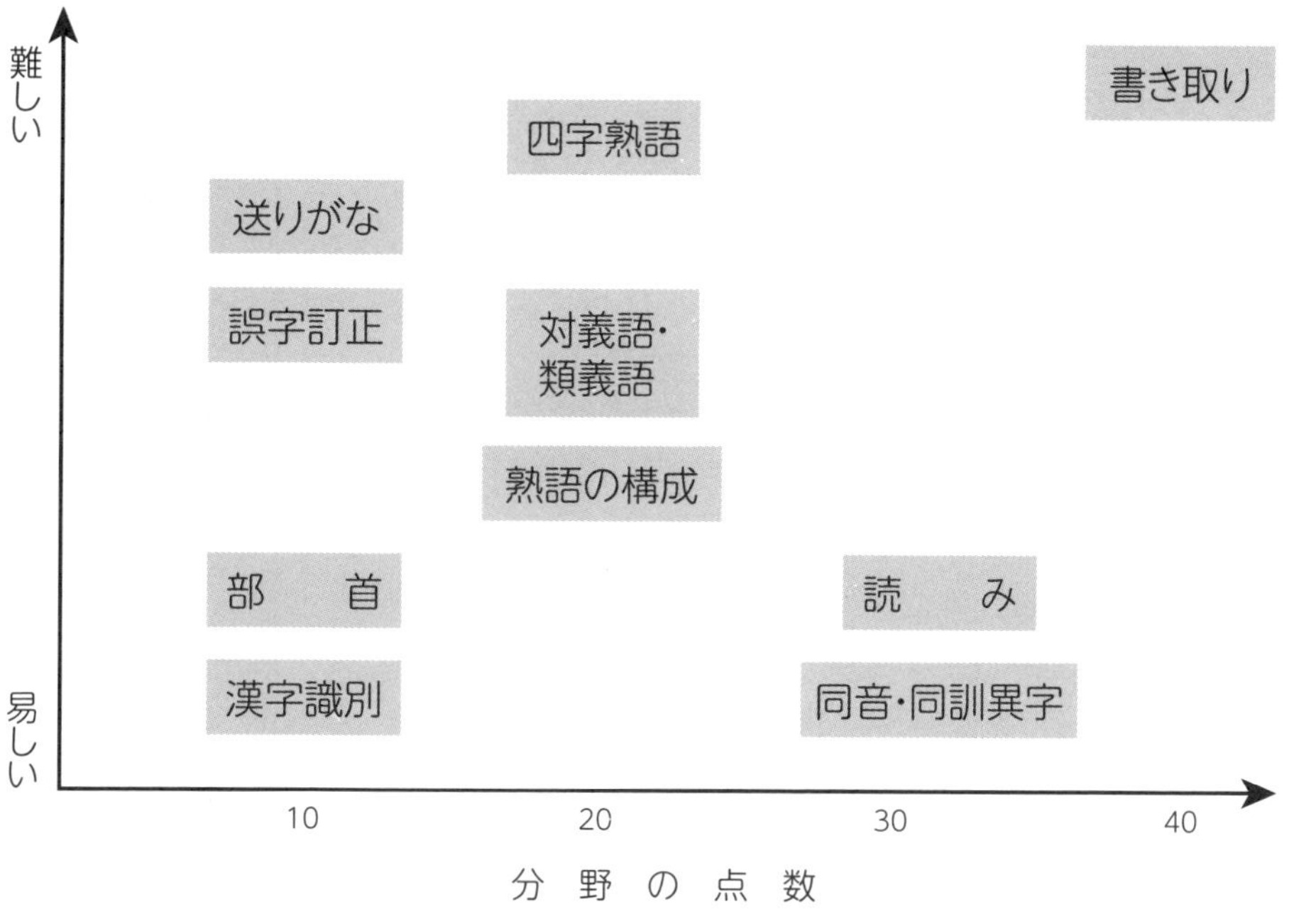

試験概要

漢字検定は日本漢字能力検定協会が主催する検定です。1級から10級までの12段階に分かれ、3級は中学校卒業程度の知識を目安にしています。

●受検資格
だれでも受けられます。

●検定会場
全国の主要都市に設置されます。団体受検では、準会場が学校などに設置されます。

CBT(コンピューター)試験では各地のテストセンターでも受検できます。

級によってはタブレットなどを使ってインターネット経由で自宅受検できる漢検オンラインも実施されています。

●検定時期
年3回(6月、11～12月、翌年1～2月)。

団体受検やCBT受検の場合は、日本漢字能力検定協会に問い合わせましょう。

●申込方法
インターネットで申し込む
インターネットで申込フォームにアクセスし必要事項を入力する。
クレジットカード決済、コンビニ決済などで検定料を支払う。

※試験要項・申込方法は変わる場合があります。事前に必ず協会のHPで確認しましょう。

問い合わせ先

公益財団法人　日本漢字能力検定協会
〒605-0074　京都市東山区祇園町南側551
ホームページ　https://www.kanken.or.jp/
フリーダイヤル　0120-509-315
※土日・祝日・お盆・年末年始を除く9：00～17：00

苦手克服！読みの攻略法

●秘伝！「訓読み」を先にマスターで効率UP●

読みでは、音読みと訓読みがバランスよく出される。
ところが、訓読みは音読みと比べて、問題の種類が少ない。
つまり同じ問題がくり返し出される。まず、出やすい「訓読み」を覚えて得点源にしよう！
訓読みは「送りがな」でも問われる。どこから送りがなにするかも一緒に覚えると効率的！

よく出る読みベスト75

1	怠ける / 怠る	なまける / おこたる
2	恨む	うらむ
3	緩む	ゆるむ
4	潜る / 潜む	もぐる / ひそむ
5	悔いる / 悔しい	くいる / くやしい
6	脅す	おどす
7	揺れる	ゆれる
8	漏れる	もれる
9	慌てる	あわてる
10	凝る	こる
11	潤む	うるむ
12	慰める	なぐさめる
13	隔てる	へだてる
14	譲る	ゆずる
15	究める	きわめる
16	哀れむ	あわれむ
17	請ける	うける
18	衰える	おとろえる
19	催す	もよおす
20	焦げる	こげる
21	憂い	うれい
22	木彫り	きぼり
23	鶏	にわとり
24	企てる	くわだてる
25	憩い	いこい
26	嫁 / 嫁ぐ	よめ / とつぐ
27	妨げる	さまたげる
28	骨髄	こつずい
29	又聞き	またぎき
30	煮炊き	にたき
31	赴任	ふにん
32	擦る	する
33	房	ふさ
34	塊	かたまり
35	結ぶ / 結う	むすぶ / ゆう
36	旗揚げ	はたあげ
37	紛れる / 紛らわしい	まぎれる / まぎらわしい
38	覆う	おおう
39	縫う	ぬう
40	膨らむ	ふくらむ
41	携える	たずさえる
42	著す / 著しい	あらわす / いちじるしい
43	祝宴	しゅくえん
44	校閲	こうえつ
45	数隻	すうせき
46	穂	ほ
47	抜粋	ばっすい
48	遭う	あう
49	芳香	ほうこう
50	霊峰	れいほう
51	鍛錬	たんれん
52	抽象	ちゅうしょう
53	怠慢	たいまん
54	遂げる	とげる
55	炎	ほのお
56	締める	しめる
57	繕う	つくろう
58	精巧	せいこう
59	愚か	おろか
60	傾聴	けいちょう
61	佳境	かきょう
62	粗い	あらい
63	巧み	たくみ
64	濃紺	のうこん
65	粘る	ねばる
66	掃く	はく
67	山岳	さんがく
68	綱渡り	つなわたり
69	概算	がいさん
70	桑	くわ
71	昇る	のぼる
72	覚悟	かくご
73	殊勝	しゅしょう
74	湖畔	こはん
75	焦燥	しょうそう

複数の読みがあるものは、よく出る読みを掲載しています。

苦手克服！同音・同訓異字の攻略法

●秘伝！ 熟語ごと覚えて、使い分けをマスター！●

選択肢から、同音・同訓異字の使い分けを選ぶ問題。
「二字熟語の中の1字」をたずねる問題が多い。
攻略のポイントは、漢字と一緒に「熟語を覚える」こと。まずは、下のよく出る漢字と熟語を丸暗記しよう。よく出る二字熟語は別冊の漢字表にも掲載しているよ。

よく出る同音同訓異字ベスト18

1	そう	葬	ほうむる 例…葬儀、葬列、埋葬
		掃	すっかり取り除く 例…掃除、一掃
		遭	めぐりあう 例…熊に遭遇する
2	と	研ぐ	とぐ。みがく 例…爪を研ぐ
		撮る	写真や映画の撮影 例…映画を撮る
		遂げる	目的を達する 例…志を遂げる
3	すい	遂	なしとげる 例…遂行、完遂
		酔	酒に酔う。熱中する 例…酔狂、陶酔
		粋	混じりけがない 例…純粋、抜粋
4	ほう	邦	国。日本 例…邦人、邦画、連邦
		芳	よいかおり 例…芳香、芳名
		飽	飽きる。満ちる 例…飽和、飽食
5	こん	魂	たましい。こころ 例…商魂、鎮魂
		恨	うらむ 例…遺恨、痛恨
		紺	深い青色 例…紺色、紫紺
6	しょう	匠	職人。技術者 例…巨匠、師匠、意匠
		掌	てのひら 例…合掌、車掌、掌握
		焦	あせる。こがす 例…焦点、焦土、焦燥
7	じょう	冗	むだな。よぶんな 例…冗漫、冗談
		譲	ゆずる 例…譲渡、割譲
		錠	かぎ。丸薬 例…錠前、錠剤
8	は	吐く	はき出す。口から出す 例…毒を吐く
		跳ねる	とび上がる 例…跳ね上がる
		掃く	ほうきでキレイにする 例…庭を掃く
9	う	埋める	うめる。補う 例…空白を埋める
		討つ	攻め滅ぼす 例…かたきを討つ
		請ける	引き受ける 例…仕事を請け負う
10	てい	締	むすぶ。取り決めをする 例…締結、締約
		訂	間違いを直す 例…訂正、改訂
		帝	みかど。支配者 例…帝王、皇帝
11	お	推す	おす。すすめる 例…委員長に推す
		生う	生える。生きる 例…生い立ち
		惜しむ	おしむ。残念に思う 例…別れを惜しむ
12	し	強いる	無理にさせる 例…負担を強いる
		占める	場所を自分のものにする 例…場所を占める
		締める	しめる。きびしくする 例…蛇口を締める
13	ろう	漏	もれる 例…漏水、漏電
		廊	ろうか 例…廊下、回廊
		浪	波。さまよう 例…浪人、放浪
14	はん	伴	いっしょに行く 例…相伴、随伴
		帆	船の帆 例…帆船、帆布
		畔	ほとり 例…河畔、湖畔
15	ぼう	膨	ふくらむ。ふくれる 例…膨大、膨張、膨満
		房	垂れたもの。部屋 例…工房、独房
		謀	計画をねる 例…謀略、陰謀、無謀
16	かん	換	取りかえる 例…換気、換金、交換
		敢	あえて。勇気がある 例…敢闘、果敢、勇敢
		勘	かんがえる 例…勘定、勘所、勘弁
17	たん	鍛	金属をたたいてきたえる 例…鍛錬、鍛工
		胆	内臓。きもったま 例…大胆、豪胆
		反	布や土地の単位 例…反物、一反木綿
18	ふく	覆	くつがえる。おおう 例…覆面、転覆、被覆
		幅	はば。横の長さ 例…振幅、幅員、一幅
		伏	ひれふす。従う 例…起伏、屈伏、伏線

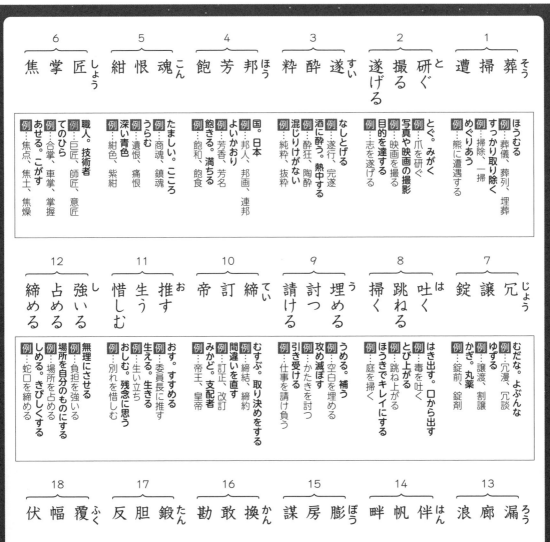

苦手克服！漢字識別の攻略法

●秘伝！ 二字熟語の語彙力勝負。訓読みに注意！●

漢字識別は「3つの熟語に共通する漢字」を答えるクイズのような問題。
必要なのは語彙力。漢字と二字熟語を覚える正攻法で挑もう！
試験では選択肢の漢字をすばやくあてはめて、記号で答える。

要注意の選択肢

①最初の1つだけ成り立つ　**例**…圧□・短□・□尺

圧力が成り立つから、力？
→× 短力、力尺は成立しない
答えは縮

②訓読みで成立する選択肢　**例**…□折・胸□・背□

骨折、胸骨はOK。
背コツってあったっけ？
→訓読み「せぼね」が成立する

よく出る漢字識別ベスト40

No.	漢字	出題例
1	概	気□・□観・□略・□況
2	諾	受□・承□・□否・応□
3	伐	間□・殺□・討□・□採
4	鎮	文□・重□・□圧・□痛
5	虚	空□・□構・□弱・□実
6	掌	合□・車□・□中・□握
7	隔	遠□・間□・□離・□壁
8	封	厳□・完□・□印・□鎖
9	錯	交□・倒□・□覚・□乱
10	焦	□土・□慮・□燥・□点
11	邪	正□・□推・□心・□念
12	赦	恩□・容□・□免・□状
13	誘	勧□・□導・□発・□引
14	匿	秘□・隠□・□名
15	掃	清□・一□・□除
16	幻	夢□・□覚・□惑・□滅
17	穏	安□・平□・□当・□便
18	宴	祝□・酒□・□席・□会
19	奪	強□・略□・□取・□回
20	謀	陰□・参□・□略・□殺
21	滞	停□・遅□・□在・□留
22	苗	早□・花□・□木・□代
23	択	選□・採□・□一・□出
24	摂	□取・□理・□生
25	顧	回□・□問・□慮
26	哀	悲□・□愁・□歓・□願
27	換	□算・交□・互□性
28	悦	喜□・満□・□楽
29	没	埋□・死□・□収・□後
30	紛	内□・□争・□戦・□失
31	慰	弔□・□霊・□問・□留
32	蛮	野□・南□・□行・□勇
33	債	負□・国□・□権・□務
34	硬	生□・強□・□筆・□直
35	抑	□揚・□圧・□制・□止
36	偶	□然・□像・配□者
37	伏	降□・屈□・□線・□兵
38	聴	傾□・傍□・□衆・□力
39	惜	愛□・痛□・□敗・□別
40	啓	拝□・天□・□示・□発

苦手克服！ 熟語の構成の攻略法

●秘伝！ 見分けるメソッドを使えば簡単●

熟語をつくる2つの漢字の関係性を答える問題。
選択肢には、以下の5つがある。

「●△」→●は△を説明するよ ●のような△

「●△」→△を●する と読むと意味が通じるよ

- **ア　同じ意味** 例…価値、温暖、停止
- **イ　反対の意味** 例…苦楽、長短、紅白
- **ウ　上の字が下の字を修飾** 例…洋画（洋風の絵画）、古城（古い城）
- **エ　下の字から上の字に返って読むと意味がよくわかる** 例…消火（火を消す）、閉店（店を閉める）
- **オ　上の字が下の字を打ち消す** 例…未熟（熟していない）、不眠（眠れない）

分かりやすいのはオの打ち消し。「無」「不」「未」で始まることが多い。

また、アとイは熟語の種類が少なく、出やすい問題が決まっているので見つけやすい。

要注意はウとエ。上のフキダシにある見分け方を覚えよう。

エの熟語は後ろに「する」をつけると、動詞になることが多いよ。×洋画する→ウ　○消火する→エ

よく出る熟語の構成ベスト100

ア　同じ意味

1 犠牲	2 錯誤	3 修繕	4 悦楽	5 基礎	6 脅威	7 鍛錬	8 隠匿	9 娯楽	10 墜落
11 倹約	12 摂取	13 山岳	14 討伐	15 抱擁	16 狩猟	17 選択	18 丘陵	19 緩慢	20 邪悪

イ　反対の意味

21 尊卑	22 出納	23 栄辱	24 吉凶	25 愛憎	26 緩急	27 乾湿	28 粗密	29 起伏	30 添削
31 抑揚	32 哀歓	33 屈伸	34 精粗	35 正邪	36 昇降	37 盛衰	38 虚実	39 出没	40 去就

ウ　上の字が修飾「上っぽい下」

41 孤島	42 氷塊	43 強奪	44 晩鐘	45 粗食	46 佳作	47 猟犬	48 厳禁	49 濫獲	50 遠征
51 濃紺	52 海賊	53 塗料	54 敢闘	55 秀作	56 栄冠	57 虚像	58 債務	59 辛勝	60 廉価

エ　下→上で読める「下を上する」

61 慰霊	62 炊飯	63 登壇	64 隔世	65 棄権	66 駐車	67 合掌	68 検尿	69 免税	70 潜水
71 喫茶	72 養豚	73 換言	74 遵法	75 翻意	76 脱獄	77 遭難	78 催眠	79 捕鯨	80 解凍

オ　上が下を打ち消す「下ではない」

81 未了	82 未遂	83 不吉	84 未知	85 無謀	86 未明	87 無粋	88 不審	89 不穏	90 不沈
91 不滅	92 未開	93 未詳	94 不遇	95 未完	96 未婚	97 未踏	98 未熟	99 未決	100 未納

苦手克服！部首の攻略法

●秘伝！ 出やすい漢字だけを覚える！●

部首は、漢字をグループ分けするために使われる共通のパーツのこと。
3級では次のような、ひと目でわかりにくい部首が出題されやすい。

①漢字のパーツが複雑なもの 例…衰・窒（上下2つに分かれる）、膨・髄（3つに分かれる）
②部首の形が漢字から読み取りにくいもの 例…卓（部首は十）、吏（部首は口）など
③対象漢字が少ないレアな部首 例…ノ、辰、彡、虍など

配点は10点と少なく、選択式なので、深入りは禁物。
よく出る漢字の部首を丸暗記したら、他の分野の対策をする方が効率的。

よく出る部首ベスト80

1	房	戸	とだれ
2	殴	殳	るまた
3	窒	穴	あなかんむり
4	企	人	ひとやね
5	虐	虍	とらがしら
6	衝	行	ぎょうがまえ
7	宴	宀	うかんむり
8	欧	欠	あくび
9	卑	十	じゅう
10	慕	⺗	したごころ
11	匠	匚	はこがまえ
12	髄	骨	ほねへん
13	帝	巾	はば
14	封	寸	すん
15	乏	ノ	の
16	翻	羽	はね
17	卸	卩	ふしづくり
18	塊	土	つちへん
19	郭	阝	おおざと
20	遵	⻌	しんにょう
21	瀬	氵	さんずい
22	葬	艹	くさかんむり
23	逮	⻌	しんにょう
24	尿	尸	しかばね
25	赴	走	そうにょう
26	厘	厂	がんだれ
27	閲	門	もんがまえ
28	虚	虍	とらがしら
29	衰	衣	ころも
30	遂	⻌	しんにょう
31	斥	斤	きん
32	遭	⻌	しんにょう
33	賊	貝	かいへん
34	卓	十	じゅう
35	彫	彡	さんづくり
36	超	走	そうにょう
37	膨	月	にくづき
38	墨	土	つち
39	魔	鬼	おに
40	夏	夂	すいにょう
41	冠	冖	わかんむり
42	貫	貝	かい
43	吉	口	くち
44	雇	隹	ふるとり
45	顧	頁	おおがい
46	孔	子	こへん
47	克	儿	ひとあし
48	疾	疒	やまいだれ
49	処	几	つくえ
50	掌	手	て
51	辱	辰	しんのたつ
52	礎	石	いしへん
53	窓	穴	あなかんむり
54	斗	斗	とます
55	痘	疒	やまいだれ
56	簿	⺮	たけかんむり
57	吏	口	くち
58	老	耂	おいかんむり
59	慨	忄	りっしんべん
60	敢	攵	のぶん
61	既	旡	すでのつくり
62	遇	⻌	しんにょう
63	啓	口	くち
64	甲	田	た
65	魂	鬼	おに
66	載	車	くるま
67	暫	日	ひ
68	殊	歹	かばねへん
69	昇	日	ひ
70	嘱	口	くちへん
71	辛	辛	からい
72	酔	酉	とりへん
73	籍	⺮	たけかんむり
74	戦	戈	ほこづくり
75	蔵	艹	くさかんむり
76	畜	田	た
77	乳	乚	おつ
78	藩	艹	くさかんむり
79	蛮	虫	むし
80	癖	疒	やまいだれ

苦手克服！対義語・類義語の攻略法

●秘伝！ 暗記のコツは、後ろに言葉を続けてみる！●

意味が反対の熟語(対義語)や、意味が似た熟語(類義語)のうち
1字を書く問題。3級では「縦糸」「横糸」のようにひと目で対応関係が分かるものは出題されにくい。
覚えるコツは、「ペアとなる語を暗記する」こと。
以下のポイントを押さえて、効率的に対策しよう。

①よく出る問題を覚える

→出題されやすい熟語は決まっている。よく出る熟語を覚えるのが効率的。

②前後に言葉をつけてみよう。例文にすると意味を覚えやすくなる

例…(対義語)　簡潔な表現⇔冗漫な表現、浪費家⇔倹約家

(類義語)　誘導係≒案内係、陳列ケース≒展示ケース

よく出る対義語ベスト45

No.	語		対義語
1	簡潔	⇔	冗漫
2	追随	⇔	率先
3	浪費	⇔	倹約
4	独創	⇔	模倣
5	特殊	⇔	一般
6	勤勉	⇔	怠慢
7	虐待	⇔	愛護
8	遵守	⇔	違反
9	従順	⇔	強情
10	協力	⇔	妨害
11	暗愚	⇔	賢明
12	都心	⇔	郊外
13	近接	⇔	遠隔
14	極楽	⇔	地獄
15	衰退	⇔	興隆
16	悲哀	⇔	歓喜
17	収縮	⇔	膨張
18	粗略	⇔	丁重
19	粗雑	⇔	精密
20	削減	⇔	追加
21	恥辱	⇔	名誉
22	秘匿	⇔	暴露
23	従属	⇔	支配
24	質素	⇔	華美
25	模倣	⇔	創造
26	黙秘	⇔	自供
27	擁護	⇔	侵害
28	幼稚	⇔	老成
29	平易	⇔	難解
30	敏速	⇔	緩慢
31	具体	⇔	抽象
32	粗野	⇔	優雅
33	柔弱	⇔	強固
34	惜敗	⇔	辛勝
35	虚像	⇔	実像
36	統一	⇔	分裂
37	隆起	⇔	沈下
38	過激	⇔	穏健
39	尊大	⇔	卑屈
40	動揺	⇔	安定
41	抑制	⇔	促進
42	鎮静	⇔	興奮
43	没落	⇔	繁栄
44	地獄	⇔	極楽
45	阻害	⇔	助長

1 誘導＝案内
2 幽閉＝監禁
3 収支＝出納
4 陳列＝展示
5 発覚＝露見
6 起伏＝高低
7 覚悟＝決心
8 勘弁＝容赦
9 勤勉＝精励
10 降参＝屈服
11 意図＝魂胆
12 心配＝憂慮
13 困苦＝辛酸
14 往来＝通行
15 危篤＝重体

16 丹念＝克明
17 負債＝借金
18 嘱望＝期待
19 没頭＝熱中
20 大切＝肝心
21 免職＝解雇
22 辛抱＝我慢
23 所持＝携帯
24 余情＝名残
25 適合＝該当
26 邪魔＝阻害
27 達成＝完遂
28 放浪＝漂泊
29 現役＝現職
30 鎮圧＝平定

31 勘定＝計算
32 納得＝了解
33 回顧＝追憶
34 抜群＝卓越
35 横着＝怠慢
36 豊富＝潤沢
37 賢明＝利口
38 隆盛＝繁栄
39 体裁＝外見
40 華美＝派手
41 護衛＝警護
42 是非＝正邪
43 功績＝手柄
44 専念＝没頭
45 下品＝卑俗

46 双方＝両者
47 幼稚＝未熟
48 吉報＝朗報
49 退治＝征伐
50 概略＝大要
51 座視＝傍観
52 消息＝音信
53 不足＝欠乏
54 書籍＝図書
55 許諾＝了承
56 遺品＝形見
57 順序＝次第
58 拘束＝束縛
59 安価＝廉価
60 賢明＝利口

苦手克服！送りがなの攻略法

●秘伝！ よく出る「例外」だけチェック！●

送りがなは、漢字を読みやすいようにつけるひらがな。
以下のルールがある。3級では例外が問われやすい。例外を中心に覚えよう。

【原則】 **①読みが複数あるときは、その読み分けができるようにつける**
（例…起きる一起こす、当てる一当たる、染まる一染める）
②「活用語尾」から送る
（例…走らない、走ります、走る→「はし」の後の読みが変わる部分からつける）

【例外】 **①「しい」で終わる形容詞はしいを送る** 例…楽しい、新しい
②「か」「やか」「らか」はひらがなにする 例…細やか、明らか、安らか
③単語ごとに覚えるしかないもの 例…危ない、勤める、確かめる

よく出る送りがなベスト60

No.	問題	答え
1	父に**ソムク**。	背く
2	肌が**ウルオウ**。	潤う
3	土に**ウモレル**。	埋もれる
4	水を**アビル**。	浴びる
5	身**ガマエル**。	構える
6	ひもを**ユワエル**。	結わえる
7	足が**ムレル**。	蒸れる
8	敵を**シリゾケル**。	退ける
9	地震に**ソナエル**。	備える
10	飯を**タイラゲル**。	平らげる
11	家で**ナマケル**。	怠ける
12	別れを**オシム**。	惜しむ
13	過ちを**クイル**。	悔いる
14	将来を**アヤブム**。	危ぶむ
15	人が**ツラナル**。	連なる
16	行いを**アラタメル**。	改める
17	川を**ヘダテル**。	隔てる
18	**スミヤカニ**帰る。	速やかに
19	手で**オオウ**。	覆う
20	旗を**カカゲル**。	掲げる
21	再度**ココロミル**。	試みる
22	一矢**ムクイル**。	報いる
23	顔が**ニクラシイ**。	憎らしい
24	仲間を**ヒキイル**。	率いる
25	仕事に**タズサワル**。	携わる
26	街が**サカエル**。	栄える
27	さいふを**アズカル**。	預かる
28	別れを**ツゲル**。	告げる
29	**カシコイ**娘。	賢い
30	店を**イトナム**。	営む
31	油を**タラス**。	垂らす
32	呪文を**トナエル**。	唱える
33	無理を**シイル**。	強いる
34	熱を**サマス**。	冷ます
35	道を**ハズレル**。	外れる
36	流れに**サカラウ**。	逆らう
37	悪事を**クワダテル**。	企てる
38	席を**モウケル**。	設ける
39	**キヨラカナ**水。	清らかな
40	説明を**ハブク**。	省く
41	おどろき**アワテル**。	慌てる
42	鉛筆を**ケズル**。	削る
43	宴を**モヨオス**。	催す
44	敵地に**オモムク**。	赴く
45	国が**ホロビル**。	滅びる
46	父を**ハゲマス**。	励ます
47	**ナヤマシイ**選択。	悩ましい
48	白い歯が**カガヤク**。	輝く
49	**イサマシイ**歌。	勇ましい
50	ほほが**ソマル**。	染まる
51	**オゴソカナ**儀式。	厳かな
52	体を**ソラス**。	反らす
53	**イチジルシイ**。	著しい
54	道を**テラス**。	照らす
55	店を**アキナウ**。	商う
56	用事を**スマス**。	済ます
57	態度が**アツカマシイ**。	厚かましい
58	手を**シバル**。	縛る
59	**ユルヤカナ**坂。	緩やかな
60	布が**シメル**。	湿る

苦手克服！誤字訂正の攻略法

●秘伝！ 二字熟語の語彙力を高めよう●

文章の中の間違いを見つけて、正しい字を書く問題。
正しい熟語の知識が問われている。押さえておくポイントは以下の通り。

①二字熟語の中に誤字が含まれる場合が多い
②誤字のパターンは次の3パターン
・同じ音読みの漢字 例…×補存 → ○保存
・形が似ている漢字 例…×往複 → ○往復
・意味の使い分けの知識が必要 例…×音楽観賞 → ○音楽鑑賞（観賞は見て楽しむもの）

対策には語彙力を鍛えるしかない。漢字と共に二字熟語を覚えよう！
「対義語・類義語」「漢字識別」の対策にもなる。

よく出る誤字訂正ベスト45

	誤	正
1	基制	規制
2	傾行	傾向
3	創飾	装飾
4	政作	政策
5	誘動	誘導
6	集益	収益
7	知療	治療
8	所置	処置
9	措致	措置
10	伐裁	伐採
11	改全	改善
12	限少	減少
13	仕料	飼料
14	機納	機能
15	標判	評判
16	感洗	感染
17	改催	開催
18	自求率	自給率
19	回修	改修
20	当計	統計
21	徐名	除名
22	高総	高層
23	過提	過程
24	十週年	十周年
25	仮能	可能
26	定止	停止
27	加度	過度
28	発期	発揮
29	抱布	抱負
30	微蓄	備蓄
31	腐配	腐敗
32	基与	寄与
33	重思	重視
34	構演	講演
35	詳彩	詳細
36	戯術	技術
37	減待	減退
38	慢喫	満喫
39	添可	添加
40	屈志	屈指
41	故証	故障
42	支設	施設
43	逆待	虐待
44	降補	候補
45	生促	生息

苦手克服！四字熟語の攻略法

●秘伝！ 故事成語は由来も覚えよう●

四字熟語の中の2字を漢字で書く問題。出題される熟語には次の2種がある。

①単に2字熟語を組み合わせたもの　**例**…名所旧跡　名所＋旧跡
②故事成語（昔の出来事やことわざをもとに作られたもの）
例…油断大敵　昔、とある王様が家臣に対し「油を入れた器を持って歩くよう」命じ、油が少しでもこぼれたときには処刑すると告げたという話から（諸説あり）

3級で出題されるのは、②がほとんど。漢字の並びだけでは、意味が結びつかず覚えにくい。その由来もチェックしておこう！

よく出る四字熟語ベスト75

1 深《しん》山《ざん》幽《ゆう》谷《こく》　人里を遠く離れた静かな自然
2 千《せん》客《きゃく》万《ばん》来《らい》　代わる代わる多くの客が来て絶え間ないこと
3 変《へん》幻《げん》自《じ》在《ざい》　思いのままにすばやく変化すること
4 日《にっ》進《しん》月《げっ》歩《ぽ》　絶え間なく発展すること
5 器《き》用《よう》貧《びん》乏《ぼう》　一事に専念しないので大成しないこと
6 試《し》行《こう》錯《さく》誤《ご》　試みと失敗の中で道を見いだすこと
7 活《かっ》殺《さつ》自《じ》在《ざい》　生かすのも殺すのも思い通りであること
8 複《ふく》雑《ざつ》怪《かい》奇《き》　事情がこみ入っていて不可解なこと
9 大《だい》胆《たん》不《ふ》敵《てき》　度胸があって驚かないこと
10 終《しゅう》始《し》一《いっ》貫《かん》　最初から最後まで言動が変わらないこと
11 千《せん》変《ぺん》万《ばん》化《か》　さまざまに変化すること
12 自《じ》暴《ぼう》自《じ》棄《き》　やけになり将来の希望を捨てること
13 日《にち》常《じょう》茶《さ》飯《はん》　日常的に起こる、ごくありふれた事柄
14 清《せい》廉《れん》潔《けっ》白《ぱく》　心や行いがきれいで正しいこと
15 油《ゆ》断《だん》大《たい》敵《てき》　注意を怠れば失敗を招くという戒め

16 我《が》田《でん》引《いん》水《すい》　自分に都合の良いように事を進めること
17 古《こ》今《こん》無《む》双《そう》　昔から現在に至るまで、並ぶものがないこと
18 空《くう》前《ぜん》絶《ぜっ》後《ご》　非常に珍しいこと
19 電《でん》光《こう》石《せっ》火《か》　動作などが非常にすばやいこと
20 単《たん》純《じゅん》明《めい》快《かい》　はっきりとしていて、わかりやすいこと
21 四《し》分《ぶん》五《ご》裂《れつ》　統一していたものなどがばらばらに乱れること
22 晴《せい》耕《こう》雨《う》読《どく》　田園でのんびりした生活をすること
23 千《せん》差《さ》万《ばん》別《べつ》　さまざまな種類や違いがあること
24 起《き》死《し》回《かい》生《せい》　危機的な状況から勢いを盛り返すこと
25 不《ふ》老《ろう》長《ちょう》寿《じゅ》　いつまでも老いることなく生きること
26 花《か》鳥《ちょう》風《ふう》月《げつ》　自然の美しい風景や風物
27 離《り》合《ごう》集《しゅう》散《さん》　別れたりいっしょになったりすること
28 面《めん》目《もく》躍《やく》如《じょ》　世間の評価を上げ、顔が立つこと
29 雲《うん》散《さん》霧《む》消《しょう》　あとかたもなく消えてなくなること
30 順《じゅん》風《ぷう》満《まん》帆《ぱん》　物事が順調に進むさま

31 博《はく》学《がく》多《た》才《さい》
いろいろな分野の知識があり、才能に恵まれていること

32 無《む》我《が》夢《む》中《ちゅう》
物事に没頭して自分や他を忘れるさま

33 利《り》害《がい》得《とく》失《しつ》
利益になることとそうでないこと

34 失《しつ》望《ぼう》落《らく》胆《たん》
希望を失い非常にがっかりすること

35 立《りっ》身《しん》出《しゅっ》世《せ》
社会的に高い地位に就いて名を上げること

36 単《たん》刀《とう》直《ちょく》入《にゅう》
前置き抜きにいきなり本題に入ること

37 玉《ぎょく》石《せき》混《こん》交《こう》
優れたものと劣ったものがまじっていること

38 古《こ》今《こん》東《とう》西《ざい》
いつでもどこでも

39 舌《した》先《さき》三《さん》寸《ずん》
口先だけでたくみに人をあしらう弁舌

40 以《い》心《しん》伝《でん》心《しん》
文字や言葉によらず心と心で通じ合うこと

41 平《へい》穏《おん》無《ぶ》事《じ》
何事もなく穏やかなこと

42 三《さん》寒《かん》四《し》温《おん》
寒い日が三日、その後に暖かい日が四日続く状態が繰り返される、冬の気候

43 意《い》気《き》衝《しょう》天《てん》
元気や勢力が大変盛んなこと

44 神《しん》出《しゅつ》鬼《き》没《ぼつ》
すばやく現れたり消えたりすること

45 馬《ば》耳《じ》東《とう》風《ふう》
人の言葉を聞き流すこと

46 奮《ふん》励《れい》努《ど》力《りょく》
気力をふるいおこして励むこと

47 流《りゅう》言《げん》飛《ひ》語《ご》
根拠のない、でたらめなうわさ

48 温《おん》故《こ》知《ち》新《しん》
昔の物事から新しい価値や意義を得ること

49 暗《あん》雲《うん》低《てい》迷《めい》
前途不安な状態が続くこと

50 力《りき》戦《せん》奮《ふん》闘《とう》
力の限り努力すること

51 取《しゅ》捨《しゃ》選《せん》択《たく》
必要なものをとり不要なものをすてること

52 破《は》顔《がん》一《いっ》笑《しょう》
顔をほころばせてにっこり笑うこと

53 首《しゅ》尾《び》一《いっ》貫《かん》
最初から最後まで態度が変わらないこと

54 一《いっ》刀《とう》両《りょう》断《だん》
思い切って物事を決断すること

55 臨《りん》機《き》応《おう》変《へん》
時と場合によって適切に対応すること

56 感《かん》慨《がい》無《む》量《りょう》
この上なく身にしみて感じること

57 公《こう》私《し》混《こん》同《どう》
社会人と個人の立場の区別がないこと

58 本《ほん》末《まつ》転《てん》倒《とう》
大事なこととそうでないことを逆にする

59 前《ぜん》人《じん》未《み》到《とう》
だれも成し遂げたことがないこと。未踏とも書く

60 天《てん》衣《い》無《む》縫《ほう》
飾りけがなく自然であること

61 悪《あく》戦《せん》苦《く》闘《とう》
困難の中で必死に努力すること

62 一《いっ》喜《き》一《いち》憂《ゆう》
状況によりよろこんだり悲しんだりすること

63 緩《かん》急《きゅう》自《じ》在《ざい》
早さや遅さ、厳しさやゆるさを自在にあやつること

64 炉《ろ》辺《へん》談《だん》話《わ》
囲炉裏のそばでくつろいでする話

65 名《めい》実《じつ》一《いっ》体《たい》
評判と実際が一致していること

66 独《どく》断《だん》専《せん》行《こう》
一人で勝手に決めて行動すること

67 得《とく》意《い》満《まん》面《めん》
物事がうまくいき、いかにも誇らしげなさま

68 自《じ》画《が》自《じ》賛《さん》
自分で自分をほめること

69 一《いち》部《ぶ》始《し》終《じゅう》
物事のはじめからおわりまで全部

70 明《めい》朗《ろう》快《かい》活《かつ》
明るくはればれとして元気な様子

71 有《ゆう》名《めい》無《む》実《じつ》
評判と比べて中身が伴わないこと

72 創《そう》意《い》工《く》夫《ふう》
従来にない新しい考えや手段を考えること

73 喜《き》怒《ど》哀《あい》楽《らく》
喜び、怒り、悲しみ、楽しみの感情

74 一《いっ》挙《きょ》一《いち》動《どう》
一つ一つの振る舞いやしぐさ

75 時《じ》代《だい》錯《さく》誤《ご》
考え方が時代に合わないこと

苦手克服！書き取りの攻略法

●秘伝！ 訓読みを得点源にする。書き間違いに要注意●

カタカナを漢字に直す問題。読みと同様に音読みと訓読みがバランスよく出される。

つまり、訓読みがくり返し出やすいのも同じ。まず「よく出る訓読み」から覚えよう。

書き取りは他の問題に比べて正答率が低い。

突き出す場所などの漢字の細かな部分のミスで減点されていることが原因。

解答をよく見て、お手本と違っている部分がないかチェックしよう。

「自分のクセ」には気づきにくいので、友達や家族に採点してもらうのもひとつの方法。

よく出る書き取りベスト125

1	**ナメ**らかな肌。	滑
2	罪を**ニク**む。	憎
3	穴を**ウ**める。	埋
4	時を**オ**しむ。	惜
5	口元を**ユル**める。	緩
6	生地を**ノ**ばす。	伸
7	カラメルを**コ**がす。	焦
8	砂山が**クズ**れる。	崩
9	部活に**ハゲ**む。	励
10	本を**アラワ**す。	著
11	**キソ**学力。	基礎
12	成長が**イチジル**しい。	著
13	ギョウザを**ム**す。	蒸
14	子を**サズ**かる。	授
15	**カンムリ**をかぶる。	冠
16	物を**コウカン**する。	交換
17	打線の主**ジク**だ。	軸
18	**シンシュク**性がある。	伸縮
19	**タッキュウ**部に入る。	卓球
20	写真を**ト**る。	撮
21	**ネバ**り強い人だ。	粘
22	**コゴ**える寒さ。	凍
23	**ユ**れる想い。	揺
24	運動を**オコタ**る。	怠
25	**キモ**が冷える。	肝
26	**コウミョウ**な手口。	巧妙
27	**ヨウチ**な考え。	幼稚
28	指示に**シタガ**う。	従
29	人目を**アザム**く。	欺
30	SNSが**エンジョウ**した。	炎上
31	**オウベイ**を歴訪する。	欧米
32	**ギセイ**を払う。	犠牲
33	**クジラ**を観察した。	鯨
34	手の**コウ**で汗をぬぐう。	甲
35	子を抱き**シ**める。	締
36	物価が**ジョウショウ**する。	上昇
37	**テイオウ**が君臨する。	帝王
38	**トツジョ**雷が鳴る。	突如
39	桜の**ナエギ**を植える。	苗木
40	**ニチボツ**が早くなる。	日没
41	社会**フクシ**に従事する。	福祉
42	**フクロ**を渡す。	袋
43	陰に**ヒソ**む。	潜
44	心が**ウルオ**う。	潤
45	失敗を**ク**いる。	悔
46	船が**ホ**を張る。	帆
47	体を**ス**り付ける。	擦
48	**ショクタク**を囲む。	食卓
49	団体が**ブンレツ**した。	分裂
50	**チョウリョク**検査。	聴力
51	仏を**オガ**む。	拝
52	褒美を**イタダ**く。	頂
53	犯人に**オド**される。	脅
54	怖い**カイダン**を聞く。	怪談

55 **カクウ**の物語。
56 寺で**カネ**をつく。
57 作業が**カンリョウ**した。
58 **キップ**を買う。
59 会社に**ツト**める。
60 **コンイロ**の制服。
61 **サムライ**を演じる。
62 **サンガク**地帯。
63 **スミ**をする。
64 **カイコ**を飼う。
65 妨害を**ソシ**する。
66 ごはんを**タ**く。
67 宿に**タイザイ**する。
68 **タキ**つぼを眺める。
69 油を**チュウシュツ**する。
70 **テツガク**の講義。
71 薬を**ヌ**る。
72 道端に**ノギク**が咲く。

架空　鐘　完了　切符　勤　紺色　侍　山岳　墨　蚕　阻止　炊　滞在　滝　抽出　哲学　塗　野菊

73 **ブタニク**を買う。
74 **ホクト**七星を探す。
75 薪が**ホノオ**を上げる。
76 **テンラン**会に出品する。
77 **マコト**の字を書く。
78 教員の**メンキョ**。
79 **ユウカン**に闘った。
80 **レイトウ**保存する。
81 志**ナカ**ばで倒れる。
82 雨で**シメ**る。
83 ふとんを**カ**ける。
84 深く**コウカイ**する。
85 雪の**ケッショウ**。
86 大手**キギョウ**で働く。
87 **サイボウ**分裂。
88 **キンチョウ**する。
89 **ジャアク**な考え。
90 **ナサ**けない。

豚肉　北斗　炎　展覧　誠　免許　勇敢　冷凍　半　湿　掛　後悔　結晶　企業　細胞　緊張　邪悪　情

91 結論に**イタ**る。
92 痛みに**ナ**れる。
93 時を**ヘ**る。
94 新聞を**タバ**ねる。
95 **モヨ**りの駅。
96 仕事を**マカ**せる。
97 そばに**チカヨ**る。
98 単調な食事に**ア**きた。
99 油で**ア**げる。
100 **アサセ**を渡る。
101 挙動を**アヤ**しむ。
102 友を**アワ**れむ。
103 **イジ**に努める。
104 心に**ウ**かぶ。
105 弧を**エガ**いて飛ぶ。
106 **オクバ**が痛む。
107 性格を**ウタガ**う。
108 **カガヤ**かしい業績。

至　慣　経　束　最寄　任　近寄　飽　揚　浅瀬　怪　哀　維持　浮　描　奥歯　疑　輝

109 **カサク**に選ばれた。
110 **カラ**いたれをかける。
111 **カラクチ**を好む。
112 **キク**の花を育てる。
113 おみくじで**キョウ**が出た。
114 鉛筆を**ケズ**る。
115 日本国**ケンポウ**。
116 **ケンメイ**な選択。
117 **ケンヤク**して貯金する。
118 肩が**コ**る。
119 **コウテイ**の位につく。
120 **ゴラク**施設。
121 文言を**サクジョ**する。
122 食事に**サソ**う。
123 **シチョウ**率が低迷する。
124 部屋の**シツド**を測定する。
125 勉強の**ジャマ**をする。

佳作　辛　辛口　菊　凶　削　憲法　賢明　倹約　凝　皇帝　娯楽　削除　誘　視聴　湿度　邪魔

※受検をお考えの方は、必ずご自身で公益財団法人 日本漢字能力検定協会の発表する最新情報をご確認ください。
ホームページ：https://www.kanken.or.jp/kanken/
【試験に関する問い合わせ】
・ホームページ(問い合わせフォーム)：https://www.kanken.or.jp/kanken/contact/
・電話：0120-509-315

漢検3級〔書き込み式〕問題集

編　者　資格試験対策研究会
発行者　清水美成
編集者　梅野浩太
発行所　株式会社 高橋書店
〒170-6014 東京都豊島区東池袋3-1-1 サンシャイン60 14階
電話　03-5957-7103

ISBN978-4-471-27568-6　©TAKAHASHI SHOTEN　Printed in Japan

本書の内容についてのご質問は「書名、質問事項(ページ、内容)、お客様のご連絡先」を明記のうえ、郵送、FAX、ホームページお問い合わせフォームから小社へお送りください。

回答にはお時間をいただく場合がございます。また、電話によるお問い合わせ、本書の内容を超えたご質問にはお答えできませんので、ご了承ください。本書に関する正誤等の情報は、小社ホームページもご参照ください。

【内容についての問い合わせ先】
書　面　〒170-6014 東京都豊島区東池袋3-1-1 サンシャイン60 14階　高橋書店編集部
F A X　03-5957-7079
メール　小社ホームページお問い合わせフォームから (https://www.takahashishoten.co.jp/)

【不良品についての問い合わせ先】

ページの順序間違い・抜けなど物理的欠陥がございましたら、電話03-5957-7076へお問い合わせください。

ただし、古書店等で購入・入手された商品の交換には一切応じられません。

漢検3級〔書き込み式〕問題集
新出漢字表＆別冊解答

新出漢字表 & 別冊解答の使い方

☑ **まちがえた問題にチェックを入れよう**
「復習して、次にまちがえないこと」が合格への近道。

スマホで問題の写真を撮って見直したり、クイズにして友達に出したり、何度も思い出せる工夫をして記憶に残そう。

☑ **覚えていなかった漢字は、新出漢字表で確認しよう**
何回か書いて覚えると、記憶に残りやすく効果的。

☑ **分野ごとに得点を出して、採点表に書き込もう**
何回か続けていくことで、自分の弱点が見えてくる！

☑ **弱点分野は、本冊 P.115～の巻末資料で　集中対策しよう**
分野別攻略法 &よく出る問題リストを読めば、得点力 UP！

※解答は漢検の採点基準に基づいた標準解答です。別解が認められる場合があります。

哀	慰	詠	悦	閲	炎	宴	欧	殴	乙
アイ あわれ あわれむ	イ なぐさめる なぐさむ	�高エイ よむ	エツ	エツ	エン ほのお	エン	オウ	オウ なぐる	オツ
哀歓 哀感	慰労 慰留	詠嘆 朗詠	満悦 恐悦	閲覧 校閲	炎天下 気炎	宴会 祝宴	欧文 渡欧	殴打 横殴り	甲乙 早乙女
口 くち	心 こころ	言 ごんべん	忄 りっしんべん	門 もんがまえ	火 ひ	宀 うかんむり	欠 あくび	殳 るまた	乙 おつ

卸	穏	佳	架	華	嫁	餓	怪	悔	塊
おろす おろし	オン おだやか	カ	カ かける かかる	カ �high ケ はな	�高カ よめ とつぐ	ガ	カイ あやしい あやしむ	カイ くいる くやむ くやしい	カイ かたまり
卸商 卸値	穏和 安穏	佳作 佳人	架空 担架	栄華 昇華	嫁ぎ先 花嫁	餓鬼 餓死	怪談 奇怪	悔恨 後悔	山塊 団塊
卩 ふしづくり	禾 のぎへん	イ にんべん	木 き	艹 くさかんむり	女 おんなへん	食 しょくへん	忄 りっしんべん	忄 りっしんべん	土 つちへん

慨	該	概	郭	隔	穫	岳	掛	滑	肝	冠	勘
ガイ	ガイ	ガイ	カク	カク へだてる へだたる	カク	ガク たけ	かける かかり	カツ コツ すべる なめらか	カン きも	カン かんむり	カン
慨嘆 感慨	該当 該博	概念 大概	城郭 輪郭	隔離 間隔	収穫	岳父 山岳	仕掛ける	滑走 円滑	肝臓 肝要	冠詞 栄冠	勘定 勘弁
忄 りっしんべん	言 ごんべん	木 きへん	阝 おおざと	阝 こざとへん	禾 のぎへん	山 やま	扌 てへん	氵 さんずい	月 にくづき	冖 わかんむり	力 ちから

棄	棋	既	軌	忌	企	緩	敢	換	喚	貫
キ	キ	キ すでに	キ	キ いむ �高 いまわしい	キ くわだてる	カン ゆるい ゆるやか ゆるむ ゆるめる	カン	カン かえる かわる	カン	カン つらぬく
棄権 放棄	棋士 将棋	既成 既存	軌道 軌跡	忌中 禁忌	企画 企図	緩急 緩慢	敢然 果敢	換気 交換	喚問 召喚	貫通 縦貫
木 き	木 きへん	旡 すでのつくり	車 くるまへん	心 こころ	人 ひとやね	糸 いとへん	攵 のぶん	扌 てへん	口 くちへん	貝 かい

凝	脅	峡	虚	虐	喫	吉	菊	犠	欺	騎
ギョウ こる こらす	キョウ おびやかす おどす おどかす	キョウ	キョ �high コ	ギャク �高 しいたげる	キツ	キチ キツ	キク	ギ	ギ あざむく	キ
凝視 凝縮	脅威 脅迫	峡谷 海峡	虚勢 虚栄	虐待 残虐	喫茶 満喫	吉凶 不吉	菊花 野菊	犠牲 犠打	欺計	騎士 騎乗
冫 にすい	肉 にく	山 やまへん	虍 とらがしら	虍 とらがしら	口 くちへん	口 くち	艹 くさかんむり	牛 うしへん	欠 あくび	馬 うまへん

※部首の名称は、代表的なものを掲載しています。

漢字	読み	用例	部首
斤	キン	斤量	斤《きん》
緊	キン	緊急　緊密	糸《いと》
愚	グ　おろか	愚問　暗愚	心《こころ》
偶	グウ	偶数　偶然	亻《にんべん》
遇	グウ	境遇　遭遇	辶《しんにょう》
刑	ケイ	刑罰　処刑	刂《りっとう》
契	ケイ　㊭ちぎる	契機　契約	大《だい》
啓	ケイ	啓示　拝啓	口《くち》
掲	ケイ　かかげる	掲載　掲揚	扌《てへん》
携	ケイ　たずさえる　たずさわる	携帯　提携	扌《てへん》
憩	ケイ　いこい　㊭いこう	休憩　小憩	心《こころ》
鶏	ケイ　にわとり	鶏卵　養鶏	鳥《とり》

漢字	読み	用例	部首
鯨	ゲイ　くじら	鯨油　捕鯨	魚《うおへん》
倹	ケン	倹約　節倹	亻《にんべん》
賢	ケン　かしこい	賢明　先賢	貝《かい》
幻	ゲン　まぼろし	幻滅　夢幻	幺《いとがしら》
孤	コ	孤独　孤立	子《こへん》
弧	コ	弧状　括弧	弓《ゆみへん》
雇	コ　やとう	雇用　解雇	隹《ふるとり》
顧	コ　かえりみる	顧問　回顧	頁《おおがい》
娯	ゴ	娯楽	女《おんなへん》
悟	ゴ　さとる	悟性　覚悟	忄《りっしんべん》
孔	コウ	気孔　鼻孔	子《こへん》
巧	コウ　たくみ	巧妙　技巧	工《たくみへん》

漢字	読み	用例	部首
甲	コウ　カン	甲板　甲乙	田《た》
坑	コウ	坑内　炭坑	土《つちへん》
拘	コウ	拘束　拘留	扌《てへん》
郊	コウ	郊外　近郊	阝《おおざと》
控	㊭コウ　ひかえる	控え	扌《てへん》
慌	㊭コウ　あわてる　あわただしい	慌て者	忄《りっしんべん》
硬	コウ　かたい	硬貨　生硬	石《いしへん》
絞	㊭コウ　しぼる　しめる　しまる	絞り染め	糸《いとへん》
綱	コウ　つな	綱紀　横綱	糸《いとへん》
酵	コウ	酵母　酵素	酉《とりへん》
克	コク	克服　克明	儿《ひとあし》
獄	ゴク	獄中　地獄	犭《けものへん》

漢字	読み	用例	部首
恨	コン　うらむ　うらめしい	遺恨　痛恨	忄《りっしんべん》
紺	コン	紺色　濃紺	糸《いとへん》
魂	コン　たましい	魂胆　霊魂	鬼《おに》
墾	コン	開墾	土《つち》
債	サイ	債券　負債	亻《にんべん》
催	サイ　もよおす	催促　主催	亻《にんべん》
削	サク　けずる	削減　添削	刂《りっとう》
搾	㊭サク　しぼる	乳搾り	扌《てへん》
錯	サク	錯誤　錯覚	金《かねへん》
撮	サツ　とる	撮影	扌《てへん》
擦	サツ　する　すれる	擦過傷　擦り傷	扌《てへん》
暫	ザン	暫時　暫定	日《ひ》

漢字	読み	用例	部首
祉	シ	福祉	礻《しめすへん》
施	シ　㊭セ　ほどこす	施設　実施	方《ほうへん》
諮	シ　はかる	諮問　諮る	言《ごんべん》
侍	ジ　さむらい	侍従　侍女	亻《にんべん》
慈	ジ　㊭いつくしむ	慈愛　慈悲	心《こころ》
軸	ジク	車軸　基軸	車《くるまへん》
疾	シツ	疾走　悪疾	疒《やまいだれ》
湿	シツ　しめる　しめす	湿潤　湿原	氵《さんずい》
赦	シャ	赦免　恩赦	赤《あか》
邪	ジャ	邪悪　邪魔	阝《おおざと》
殊	シュ　こと	殊勝　特殊	歹《かばねへん》
寿	ジュ　ことぶき	寿命　長寿	寸《すん》

漢字	読み	用例	部首
潤	ジュン　うるおう　うるおす　うるむ	潤沢　湿潤	氵 さんずい
遵	ジュン	遵守　遵法	辶 しんにょう
如	ジョ　(高)ニョ	突如　躍如	女 おんなへん
徐	ジョ	徐行	彳 ぎょうにんべん
匠	ショウ	意匠　師匠	匚 はこがまえ
昇	ショウ　のぼる	昇降　昇進	日 ひ
掌	ショウ	掌握　車掌	手 て
晶	ショウ	結晶　水晶	日 ひ
焦	ショウ　こげる　こがす　こがれる　(高)あせる	焦点　黒焦げ	灬 れんが
衝	ショウ	衝動　折衝	行 ぎょうがまえ

漢字	読み	用例	部首
鐘	ショウ　かね	鐘楼　半鐘	金 かねへん
冗	ジョウ	冗談　冗長	冖 わかんむり
嬢	ジョウ	令嬢　受付嬢	女 おんなへん
錠	ジョウ	錠剤　手錠	金 かねへん
譲	ジョウ　ゆずる	譲渡　分譲	言 ごんべん
嘱	ショク	嘱託　委嘱	口 くちへん
辱	ジョク　(高)はずかしめる	屈辱　雪辱	辰 しんのたつ
伸	シン　のびる　のばす　のべる	伸縮　屈伸	亻 にんべん
辛	シン　からい	辛苦　辛酸	辛 からい
審	シン	審美眼　不審	宀 うかんむり
炊	スイ　たく	炊飯　雑炊	火 ひへん

漢字	読み	用例	部首
粋	スイ　いき	純粋　抜粋	米 こめへん
衰	スイ　おとろえる	衰退　盛衰	衣 ころも
酔	スイ　よう	心酔　陶酔	酉 とりへん
遂	スイ　とげる	遂行　未遂	辶 しんにょう
穂	(高)スイ　ほ	穂状　稲穂	禾 のぎへん
随	ズイ	随筆　追随	阝 こざとへん
髄	ズイ	骨髄　真髄	骨 ほねへん
瀬	せ	瀬戸物　浅瀬	氵 さんずい
牲	セイ	犠牲	牛 うしへん
婿	(高)セイ　むこ	花婿	女 おんなへん
請	セイ　(高)シン　(高)こう　うける	申請　下請け	言 ごんべん
斥	セキ	斥候　排斥	斤 きん

漢字	読み	用例	部首
隻	セキ	隻手　数隻	隹 ふるとり
惜	セキ　おしい　おしむ	惜敗　愛惜	忄 りっしんべん
籍	セキ	戸籍　本籍	竹 たけかんむり
摂	セツ	摂取　摂生	扌 てへん
潜	セン　ひそむ　もぐる	潜水　潜在的	氵 さんずい
繕	ゼン　つくろう	営繕　修繕	糸 いとへん
阻	ソ　(高)はばむ	阻害　阻止	阝 こざとへん
措	ソ	措置　措辞	扌 てへん
粗	ソ　あらい	粗密　粗野	米 こめへん
礎	ソ　(高)いしずえ	礎石　基礎	石 いしへん
双	ソウ　ふた	双葉　無双	又 また
桑	(高)ソウ　くわ	桑の実　桑畑	木 き

漢字	読み	用例	部首
掃	ソウ　はく	掃除　清掃	扌 てへん
葬	ソウ　(高)ほうむる	会葬　埋葬	艹 くさかんむり
遭	ソウ　あう	遭遇　遭難	辶 しんにょう
憎	ゾウ　にくむ　にくい　にくらしい　にくしみ	憎悪　愛憎	忄 りっしんべん
促	ソク　うながす	促進　催促	亻 にんべん
賊	ゾク	山賊　盗賊	貝 かいへん
怠	タイ　なまける　おこたる	怠慢　怠け者	心 こころ
胎	タイ	胎児　母胎	月 にくづき
袋	(高)タイ　ふくろ	紙袋　足袋	衣 ころも
逮	タイ	逮捕	辶 しんにょう
滞	タイ　とどこおる	滞在　停滞	氵 さんずい

窒	畜	稚	壇	鍛	胆	奪	諾	託	卓	択	滝
チツ 窒素 窒息	チク 畜産 牧畜	チ 稚拙 幼稚	ダン 高タン 壇上 文壇	タン きたえる 鍛造 鍛錬	タン 魂胆 大胆	ダツ うばう 奪取 争奪	ダク 諾否 承諾	タク 委託 屈託	タク 卓抜 円卓	タク 採択 選択	たき 滝川 滝口
穴 あなかんむり	田 た	禾 のぎへん	土 つちへん	金 かねへん	月 にくづき	大 だい	言 ごんべん	言 ごんべん	十 じゅう	扌 てへん	シ さんずい

締	訂	帝	墜	鎮	陳	聴	超	彫	駐	鋳	抽
テイ しまる しめる 締結	テイ 訂正 改訂	テイ 帝王 皇帝	ツイ 墜死 墜落	チン 高しずめる 高しずまる 鎮静 重鎮	チン 陳腐 陳情	チョウ きく 視聴 傍聴	チョウ こえる こす 超越 超過	チョウ ほる 彫刻 木彫り	チュウ 駐在 進駐	チュウ いる 鋳型 鋳鉄	チュウ 抽出 抽象
糸 いとへん	言 ごんべん	巾 はば	土 つち	金 かねへん	阝 こざとへん	耳 みみへん	走 そうにょう	彡 さんづくり	馬 うまへん	金 かねへん	扌 てへん

婆	粘	尿	豚	篤	匿	痘	陶	凍	塗	斗	哲
バ 産婆 老婆	ネン ねばる 粘土 粘膜	ニョウ 尿意 尿道	トン ぶた 子豚 養豚	トク 篤実 危篤	トク 匿名 隠匿	トウ 種痘 天然痘	トウ 陶器 陶酔	トウ こおる こごえる 凍結 冷凍	ト ぬる 塗装 塗料	ト 北斗 漏斗	テツ 哲学 哲人
女 おんな	米 こめへん	尸 しかばね	豕 ぶた	竹 たけかんむり	匚 かくしがまえ	疒 やまいだれ	阝 こざとへん	冫 にすい	土 つち	斗 とます	口 くち

碑	卑	蛮	藩	畔	伴	帆	伐	縛	陪	排
ヒ 歌碑 石碑	ヒ 高いやしい 高いやしむ 高いやしめる 卑屈 卑下	バン 蛮行 野蛮	ハン 藩士 藩主	ハン 湖畔 池畔	ハン バン ともなう 伴奏 随伴	ハン ほ 帆船 帆柱	バツ 伐採 間伐	バク しばる 自縛 束縛	バイ 陪食 陪審員	ハイ 排気 排除
石 いしへん	十 じゅう	虫 むし	艹 くさかんむり	田 たへん	イ にんべん	巾 はばへん	イ にんべん	糸 いとへん	阝 こざとへん	扌 てへん

紛	覆	伏	封	符	赴	苗	漂	姫	泌
フン まぎれる まぎらす まぎらわす まぎらわしい 紛失 内紛	フク おおう 高くつがえす 高くつがえる 覆面 転覆	フク ふせる ふす 起伏 雌伏	フウ ホウ 封鎖 密封	フ 符号 切符	フ おもむく 赴任	高ビョウ なえ なわ 苗木 早苗	ヒョウ ただよう 漂白 漂泊	ひめ 姫君 歌姫	ヒツ 高ヒ 分泌
糸 いとへん	西 おおいかんむり	イ にんべん	寸 すん	竹 たけかんむり	走 そうにょう	艹 くさかんむり	シ さんずい	女 おんなへん	シ さんずい

墳	フン	墳墓　古墳	土《つちへん》
癖	ヘキ　くせ	口癖　潔癖	疒《やまいだれ》
募	ボ　つのる	募集　応募	力《ちから》
慕	ボ　したう	慕情　敬慕	小《したごころ》
簿	ボ	簿記　帳簿	竹《たけかんむり》
芳	ホウ　(高)かんばしい	芳紀　芳香	艹《くさかんむり》
邦	ホウ	邦楽　邦画	阝《おおざと》
奉	ホウ　ブ　(高)たてまつる	奉行　奉納	大《だい》
胞	ホウ	胞子　細胞	月《にくづき》
倣	ホウ　(高)ならう	模倣	亻《にんべん》
崩	ホウ　くずれる　くずす	崩壊　崩御	山《やま》
飽	ホウ　あきる　あかす	飽食　飽和	食《しょくへん》
縫	ホウ　ぬう	縫合　裁縫	糸《いとへん》
乏	ボウ　とぼしい	耐乏　貧乏	ノ《の》
妨	ボウ　さまたげる	妨害	女《おんなへん》
房	ボウ　ふさ	暖房　独房	戸《とだれ》
某	ボウ	某国　某所	木《き》
膨	ボウ　ふくらむ　ふくれる	膨大　膨張	月《にくづき》
謀	ボウ　(高)ム　(高)はかる	謀略　無謀	言《ごんべん》
墨	ボク　すみ	墨汁　墨守	土《つち》
没	ボツ	出没　埋没	氵《さんずい》
翻	ホン　(高)ひるがえる　(高)ひるがえす	翻意　翻訳	羽《はね》
魔	マ	魔法　悪魔	鬼《おに》
埋	マイ　うめる　うまる　うもれる	埋葬　埋蔵	土《つちへん》
膜	マク	角膜　粘膜	月《にくづき》
又	また	又貸し	又《また》
魅	ミ	魅力　魅了	鬼《きにょう》
滅	メツ　ほろびる　ほろぼす	滅亡　消滅	氵《さんずい》
免	メン　(高)まぬかれる	免除　免許	儿《ひとあし》
幽	ユウ	幽閉　幽霊	幺《いとがしら》
誘	ユウ　さそう	誘惑　勧誘	言《ごんべん》
憂	ユウ　うれえる　うれい　(高)うい	憂愁　憂慮	心《こころ》
揚	ヨウ　あげる　あがる	掲揚　抑揚	扌《てへん》
揺	ヨウ　ゆれる　ゆる　ゆらぐ　ゆるぐ　ゆする　ゆさぶる　ゆすぶる	動揺	扌《てへん》
擁	ヨウ	擁護　擁立	扌《てへん》
抑	ヨク　おさえる	抑圧　抑揚	扌《てへん》
裸	ラ　はだか	裸身　丸裸	衤《ころもへん》
濫	ラン	濫伐　濫用	氵《さんずい》
吏	リ	官吏　能吏	口《くち》
隆	リュウ	隆起　興隆	阝《こざとへん》
了	リョウ	完了　了解	亅《はねぼう》
猟	リョウ	猟師　狩猟	犭《けものへん》
陵	リョウ　(高)みささぎ	陵墓　丘陵	阝《こざとへん》
糧	リョウ　(高)ロウ　(高)かて	糧食　食糧	米《こめへん》
厘	リン	厘毛　一厘	厂《がんだれ》
励	レイ　はげむ　はげます	励行　激励	力《ちから》
零	レイ	零下　零細	雨《あめかんむり》
霊	レイ　(高)リョウ　(高)たま	霊峰　幽霊	雨《あめかんむり》
裂	レツ　さく　さける	決裂　破裂	衣《ころも》
廉	レン	廉価　清廉	广《まだれ》
錬	レン	精錬　鍛錬	金《かねへん》
炉	ロ	炉辺　暖炉	火《ひへん》
浪	ロウ	浪費　放浪	氵《さんずい》
廊	ロウ	廊下　画廊	广《まだれ》
楼	ロウ	楼閣　鐘楼	木《きへん》
漏	ロウ　もる　もれる　もらす	漏電　漏水	氵《さんずい》
湾	ワン	湾岸　湾内	氵《さんずい》

漢検3級〔書き込み式〕問題集

別冊解答

ミニテスト解答

模擬テスト 解答・解説

第1回 ミニテスト ……本冊P4・5

1 読み
①ちょうぼ ②たくえつ ③れいほう ④ろうでん ⑤けいちょう ⑥なま ⑦うら ⑧くや ⑨ひそ ⑩へだ

2 同音・同訓異字
①ア ②エ ③イ ④オ ⑤ア ⑥イ

3 対義語
①潔 ②遵 ③協 ④勉 ⑤接

4 部首
①エ ②ア ③ウ ④ア ⑤エ ⑥イ ⑦イ ⑧ア ⑨ア ⑩エ

5 誤字訂正
誤→正
①画→格 ②層→装 ③徐→除 ④奇→寄 ⑤限→減 ⑥知→治 ⑦衆→収 ⑧行→向

6 書き取り
①基礎 ②交換 ③再開 ④短縮 ⑤著 ⑥蒸 ⑦肥 ⑧情

第2回 ミニテスト ……本冊P6・7

1 読み
①さいたく ②ほうこう ③こくめい ④こうおつ ⑤ふんぼ ⑥ゆる ⑦なぐさ ⑧もよお ⑨とつ ⑩うるお

2 漢字識別
①ウ ②ケ ③カ ④ア ⑤キ

3 類義語
①債 ②悟 ③念 ④勘 ⑤派

4 送りがな
①構える ②備え ③連なる ④蒸す ⑤背く ⑥浴びる ⑦預かる ⑧強いる ⑨味わう ⑩慌てる

5 四字熟語
①千差 ②貧乏 ③一貫 ④清廉 ⑤深山 ⑥立身 ⑦博学 ⑧四分 ⑨満帆 ⑩得失

6 書き取り
①模様 ②敬遠 ③警笛 ④包囲 ⑤従 ⑥至 ⑦慣 ⑧経

第3回 ミニテスト ……本冊P8・9

1 読み
①りょうし ②じゃすい ③じぜん ④すうせき ⑤ふにん ⑥も ⑦かな ⑧こお ⑨あわ ⑩こ

2 同音・同訓異字
①ア ②イ ③ウ ④オ ⑤ア ⑥エ

3 対義語
①激 ②排 ③極 ④滞 ⑤浪

4 熟語の構成
①イ ②ウ ③イ ④ア ⑤ア ⑥イ ⑦イ ⑧イ ⑨ウ ⑩オ ⑪エ

5 四字熟語
①錯誤 ②怪奇 ③我田 ④緩急 ⑤破顔 ⑥月歩 ⑦鬼没 ⑧飛語 ⑨東西 ⑩万化

6 書き取り
①蒸発 ②軸 ③伸縮 ④卓球 ⑤授 ⑥拝 ⑦集 ⑧的外

第4回 ミニテスト
……本冊P10・11

1 読み
①きゅうりょう　②そち　③ゆうりょ　④くったく　⑤かきょう　⑥たずさ　⑦おど　⑧ねば　⑨さまた　⑩おとろ

2 同音・同訓異字
①ウ　②ア　③イ　④ア　⑤ウ　⑥オ

3 類義語
①幽　②専　③期　④浪　⑤適

4 部首
①ウ　②ウ　③エ　④ア　⑤ウ　⑥イ　⑦ア　⑧ア　⑨イ　⑩ア

5 誤字訂正
誤　正
①義→技(戯)
②角→画
③際→採
④司→支
⑤終→修
⑥美→備
⑦堤→提
⑧機→規

6 書き取り
①炎上　②犠牲　③甲　④帝王　⑤鳥居　⑥骨身　⑦束　⑧湯冷

第5回 ミニテスト
……本冊P12・13

1 読み
①きょうい　②しょうあく　③ばっすい　④よくせい　⑤しゅしょう　⑥くわだ　⑦いちじる　⑧にた　⑨ふく　⑩う

2 漢字識別
①イ　②ウ　③エ　④カ　⑤コ

3 対義語
①繁　②創　③護　④拘　⑤素

4 送りがな
①臨む　②商い　③結ぶ　④絶える　⑤厚い　⑥掲げる　⑦欠ける　⑧勇ましい　⑨焦げる　⑩伏せる

5 四字熟語
①選択　②万来　③意気　④躍如　⑤古今　⑥温故　⑦活殺　⑧大胆　⑨茶飯　⑩馬耳

6 書き取り
①欧米　②上昇　③突如　④日没　⑤最寄　⑥研　⑦頂　⑧災

第6回 ミニテスト
……本冊P14・15

1 読み
①じょうちゅう　②みわく　③けんえつ　④じゅんたく　⑤ぎょうし　⑥こ　⑦にわとり　⑧はげ　⑨うなが　⑩きわ

2 同音・同訓異字
①ア　②オ　③エ　④ア　⑤イ　⑥オ

3 類義語
①意　②困　③誘　④没　⑤嘱

4 熟語の構成
①エ　②ア　③イ　④イ　⑤ウ　⑥イ　⑦イ　⑧イ　⑨エ　⑩オ　⑪エ

5 四字熟語
①笑止　②無縫　③起死　④変幻　⑤不覚　⑥巧言　⑦孤城　⑧明快　⑨電光　⑩滑脱

6 書き取り
①福祉　②怪談　③架空　④完了　⑤故　⑥境　⑦任　⑧勤

第7回 ミニテスト …………本冊P16・17

1 読み
① きどう
② こうえつ
③ かかん
④ せいこう
⑤ ごらく
⑥ あざむ
⑦ ぬ
⑧ ゆ
⑨ さと
⑩ つの

2 同音・同訓異字
① エ
② オ
③ ア
④ ウ
⑤ イ
⑥ ア

3 対義語
① 擁
② 哀
③ 殊
④ 粗
⑤ 愚

4 部首
① ア
② ウ
③ エ
④ ア
⑤ ア
⑥ エ
⑦ エ
⑧ イ
⑨ イ
⑩ エ

5 誤字訂正
誤 正
① 可→加
② 回→改
③ 解→開
④ 要→用
⑤ 優→有
⑥ 補→保
⑦ 致→置
⑧ 道→導

6 書き取り
① 切符
② 抽出
③ 安易
④ 星座
⑤ 緩
⑥ 滑
⑦ 刷
⑧ 蚕

第8回 ミニテスト …………本冊P18・19

1 読み
① しょうこう
② ちゅうしょう
③ しゅくえん
④ えいたん
⑤ けんそ
⑥ と
⑦ おお
⑧ いこ
⑨ さ
⑩ かえり

2 漢字識別
① ク
② ケ
③ ア
④ エ
⑤ コ

3 類義語
① 勉
② 心
③ 富
④ 陳
⑤ 覚

4 送りがな
① 試み
② 厳しく
③ 垂れる
④ 危ない
⑤ 告げる
⑥ 栄える
⑦ 肥える
⑧ 退く
⑨ 賢い
⑩ 染める

5 四字熟語
① 無我
② 低頭
③ 炉辺
④ 生存
⑤ 油断
⑥ 難攻
⑦ 応報
⑧ 一喜
⑨ 晴耕
⑩ 明朗

6 書き取り
① 滞在
② 山岳
③ 哲学
④ 北斗
⑤ 冠
⑥ 強
⑦ 撮
⑧ 輪切

第9回 ミニテスト …………本冊P20・21

1 読み
① ていけい
② かいこん
③ りゅうき
④ じょうまん
⑤ えんかつ
⑥ めっ
⑦ ほどこ
⑧ あなう
⑨ し
⑩ とぼ

2 同音・同訓異字
① ア
② エ
③ オ
④ ウ
⑤ イ
⑥ エ

3 対義語
① 縮
② 従
③ 賛
④ 敏
⑤ 倣

4 熟語の構成
① イ
② ア
③ エ
④ ア
⑤ ウ
⑥ ア
⑦ エ
⑧ イ
⑨ エ
⑩ エ
⑪ オ

5 四字熟語
① 四温
② 道断
③ 絶後
④ 自暴
⑤ 急転
⑥ 勉励
⑦ 同心
⑧ 平穏
⑨ 長寿
⑩ 始終

6 書き取り
① 胸中
② 免許
③ 勇敢
④ 展覧
⑤ 富
⑥ 粘
⑦ 近寄
⑧ 危

第10回 ミニテスト　……本冊P22・23

1 読み
①けんやく ②しっつい ③きとく ④てんさく ⑤しんく ⑥うれ ⑦おさ ⑧くず ⑨は ⑩あら

2 同音・同訓異字
①ア ②イ ③オ ④イ ⑤ア ⑥ウ

3 類義語
①顧 ②着 ③抜 ④得 ⑤伏

4 部首
①ア ②イ ③エ ④ア ⑤ウ ⑥ウ ⑦ウ ⑧エ ⑨ウ ⑩ウ

5 誤字訂正
誤→正
①異→移 ②後→護 ③攻→効 ④洗→染 ⑤転→展 ⑥定→程 ⑦前→善 ⑧様→要

6 書き取り
①開幕 ②冷凍 ③維持 ④佳作 ⑤欺 ⑥鯨 ⑦易 ⑧惜

第11回 ミニテスト　……本冊P24・25

1 読み
①えつらん ②かいこん ③けっぺき ④こうろ ⑤せつじょく ⑥がいよう ⑦ほんやく ⑧やと ⑨とどこお ⑩おもむ

2 漢字識別
①ク ②ケ ③コ ④イ ⑤ウ

3 対義語
①抽 ②統 ③乏 ④損 ⑤善

4 送りがな
①報い ②平らげる ③朗らかな ④耕す ⑤改める ⑥確かめる ⑦速やかに ⑧逆さ ⑨滅する ⑩凝らす

5 四字熟語
①落着 ②直入 ③奮励 ④感慨 ⑤得意 ⑥苦闘 ⑦自画 ⑧前途 ⑨晩成 ⑩集散

6 書き取り
①形相 ②凶 ③憲法 ④厳選 ⑤裁 ⑥日和 ⑦疑 ⑧憎

第12回 ミニテスト　……本冊P26・27

1 読み
①とうこん ②さんがく ③めんぜい ④とうすい ⑤りんかく ⑥たいのう ⑦せきはい ⑧ほが ⑨かたまり ⑩す

2 同音・同訓異字
①エ ②ア ③イ ④ア ⑤イ ⑥オ

3 類義語
①余 ②是 ③励 ④慢 ⑤消

4 熟語の構成
①イ ②イ ③ア ④ウ ⑤オ ⑥ア ⑦オ ⑧ウ ⑨イ ⑩エ ⑪ウ

5 四字熟語
①花鳥 ②行雲 ③公私 ④落胆 ⑤分別 ⑥棒大 ⑦創意 ⑧悲願 ⑨転倒 ⑩臨機

6 書き取り
①垂直 ②賢明 ③要因 ④装置 ⑤潜 ⑥伸 ⑦焦 ⑧潤

第13回 ミニテスト ……本冊P28・29

1 読み
①さいそく
②ぞうすい
③けいき
④そくばく
⑤たくばつ
⑥ぐもん
⑦ろうえい
⑧ひあ
⑨はたあ
⑩しか

2 同音・同訓異字
①ウ
②ア
③オ
④イ
⑤ウ
⑥エ

3 対義語
①稚
②易
③没
④柔
⑤奮

4 部首
①イ
②ア
③ウ
④ア
⑤エ
⑥エ
⑦エ
⑧イ
⑨エ
⑩エ

5 誤字訂正
誤 正
①正→制
②及→給
③混→困
④買→飼
⑤称→象
⑥破→敗
⑦走→争
⑧幼→養

6 書き取り
①倹約
②皇帝
③娯楽
④宿舎
⑤源
⑥放
⑦退
⑧背広

第14回 ミニテスト ……本冊P30・31

1 読み
①たいまん
②ざんじ
③しゅうぜん
④たんれん
⑤けつれつ
⑥のうこん
⑦がいさん
⑧か
⑨しぼ
⑩かか

2 漢字識別
①ア
②イ
③ケ
④コ
⑤オ

3 類義語
①収
②篤
③達
④参
⑤如

4 送りがな
①責める
②健やかに
③養う
④外れ
⑤率い
⑥反らす
⑦設ける
⑧唱える
⑨企てる
⑩緩やかな

5 四字熟語
①心機
②千万
③小異
④暗雲
⑤代謝
⑥専行
⑦来歴
⑧議論
⑨混交
⑩明鏡

6 書き取り
①発覚
②削除
③視聴
④邪魔
⑤干上
⑥速
⑦裏道
⑧垂

第15回 ミニテスト ……本冊P32・33

1 読み
①きょせい
②おんびん
③かくご
④しょうてん
⑤たいりゅう
⑥こはん
⑦きてい
⑧あ
⑨さば
⑩ゆず

2 同音・同訓異字
①ア
②イ
③ウ
④ア
⑤ウ
⑥エ

3 対義語
①随
②尊
③丁
④促
⑤理

4 熟語の構成
①ウ
②ア
③ア
④エ
⑤ア
⑥エ
⑦エ
⑧ア
⑨エ
⑩オ
⑪ウ

5 四字熟語
①霧消
②衝天
③暗鬼
④端麗
⑤漫言
⑥無根
⑦与奪
⑧異夢
⑨一刀
⑩到来

6 書き取り
①神秘
②出没
③西欧
④混乱
⑤平謝
⑥小豆
⑦見境
⑧締

第16回 ミニテスト

本冊P34・35

1 読み
①かいこ ②ていたい ③はっこう ④きせき ⑤れいらく ⑥こんたん ⑦みりょう ⑧たく ⑨ほ ⑩した

2 同音・同訓異字
①イ ②エ ③オ ④イ ⑤ウ ⑥ア

3 類義語
①切 ②賢 ③安 ④恒 ⑤鎮

4 部首
①ウ ②ア ③ア ④エ ⑤エ ⑥エ ⑦ウ ⑧イ ⑨エ ⑩エ

5 誤字訂正
誤　正
①官→関 ②援→演 ③潮→調 ④作→策 ⑤説→設 ⑥所→処 ⑦表→評 ⑧光→候

6 書き取り
①招待 ②焦点 ③糖分 ④納得 ⑤苗木 ⑥袋 ⑦脅 ⑧筋書

第17回 ミニテスト

本冊P36・37

1 読み
①そうぐう ②まんきつ ③ざんてい ④かさく ⑤とふ ⑥ようしゃ ⑦ようご ⑧きた ⑨おろ ⑩むす

2 漢字識別
①イ ②エ ③カ ④ク ⑤コ

3 対義語
①衰 ②端 ③惜 ④粗 ⑤辱

4 送りがな
①直ちに ②基づい ③補う ④散らす ⑤照れる ⑥軽やかな ⑦清らかな ⑧省みる ⑨携わる ⑩励ます

5 四字熟語
①投合 ②優柔 ③一挙 ④以心 ⑤舌先 ⑥兼備 ⑦奇想 ⑧存亡 ⑨悪逆 ⑩卓説

6 書き取り
①凍死 ②粘土 ③拍手 ④厳重 ⑤型破 ⑥鐘 ⑦片言 ⑧縦

第18回 ミニテスト

本冊P38・39

1 読み
①せっしょう ②ろうか ③しんせい ④しつげん ⑤ちんぷ ⑥きょうぐう ⑦げきれい ⑧ともな ⑨よ ⑩ただよ

2 同音・同訓異字
①ウ ②イ ③エ ④オ ⑤ア ⑥ウ

3 類義語
①口(巧) ②遺 ③役 ④展 ⑤勘

4 熟語の構成
①オ ②エ ③エ ④ア ⑤イ ⑥エ ⑦ウ ⑧エ ⑨イ ⑩エ ⑪エ

5 四字熟語
①奮闘 ②直情 ③熟慮 ④用意 ⑤二束(二足) ⑥開放 ⑦昼夜 ⑧名実 ⑨麗句 ⑩理路

6 書き取り
①貧乏 ②封 ③軽装 ④保護 ⑤墓参 ⑥勝 ⑦説 ⑧半

第19回 ミニテスト……本冊P40・41

1 読み
①てんぷく ②けいしゃ ③びこう ④まいぞう ⑤きっぽう ⑥けいぼ ⑦げんえい ⑧のぼ ⑨ふさ ⑩ほのお

2 同音・同訓異字
①イ ②エ ③ア ④イ ⑤ウ ⑥オ

3 対義語
①滅 ②厳 ③虐 ④概 ⑤黙

4 部首
①ア ②ウ ③エ ④ウ ⑤イ ⑥イ ⑦エ ⑧エ ⑨ア ⑩イ

5 誤字訂正
誤 → 正
①卒 → 率
②紀 → 期
③栄 → 営
④材 → 財
⑤件 → 権
⑥単 → 担
⑦対 → 退
⑧敬 → 景

6 書き取り
①破裂 ②漂着 ③普通 ④虚弱 ⑤崩 ⑥悔 ⑦控 ⑧帆

第20回 ミニテスト……本冊P42・43

1 読み
①かんがい ②けいさい ③ようせい ④きんかい ⑤ちぎょ ⑥こうみょう ⑦ごうじょう ⑧ひか ⑨つくろ ⑩またぎ

2 漢字識別
①ウ ②キ ③ク ④ケ ⑤コ

3 類義語
①謀 ②足 ③量 ④往 ⑤第

4 送りがな
①冷ます ②悔やむ ③惜しむ ④怠ける ⑤謝る ⑥著しい ⑦安らかな ⑧群れる ⑨新たな ⑩敬う

5 四字熟語
①衆人 ②一挙 ③一髪 ④百鬼 ⑤二鳥 ⑥満面 ⑦名分 ⑧地異 ⑨深長 ⑩無病

6 書き取り
①財布 ②平穏 ③株価 ④忠告 ⑤凍 ⑥埋 ⑦湿 ⑧揺

第21回 ミニテスト……本冊P44・45

1 読み
①せんぷく ②ひとく ③さつばつ ④とつじょ ⑤かいこん ⑥あいかん ⑦きし ⑧おろしね ⑨きぼ ⑩こころにく

2 同音・同訓異字
①イ ②ア ③オ ④オ ⑤ア ⑥ウ

3 対義語
①辞 ②阻 ③過 ④慎 ⑤弟

4 熟語の構成
①エ ②ウ ③ア ④オ ⑤ア ⑥イ ⑦エ ⑧ウ ⑨ア ⑩ウ ⑪ア

5 四字熟語
①錯誤 ②異口 ③隻句 ④未到（未踏） ⑤鉄壁 ⑥動地 ⑦一騎 ⑧円熟 ⑨無実 ⑩果敢

6 書き取り
①密封 ②免除 ③優秀 ④類似 ⑤励 ⑥怠 ⑦古株 ⑧肝

第22回　ミニテスト　……本冊P46・47

1 読み
①ゆうかん
②ひあい
③たいぼう
④かんき
⑤ぼっしゅう
⑥よくよう
⑦しょうどう
⑧ほばしら
⑨から
⑩さそ

2 同音・同訓異字
①ア
②ウ
③オ
④ウ
⑤イ
⑥オ

3 類義語
①免
②現
③所
④功
⑤熟

4 部首
①エ
②ア
③エ
④ウ
⑤イ
⑥ウ
⑦エ
⑧ア
⑨ア
⑩イ

5 誤字訂正
誤　正
①加→可
②灯→頭
③各→確
④領→量
⑤長→重
⑥真→深
⑦練→連
⑧述→術

6 書き取り
①聴力
②亡命
③巧妙
④湾岸
⑤侍
⑥擦
⑦掛
⑧群

第23回　ミニテスト　……本冊P48・49

1 読み
①ほうのう
②ちくさん
③ちんあつ
④そくしん
⑤かんすい
⑥しょうばん
⑦ほうじゅん
⑧なんくせ
⑨はだか
⑩まぎ

2 漢字識別
①カ
②キ
③ア
④エ
⑤ク

3 対義語
①粗
②栄
③辞
④都
⑤革

4 送りがな
①済ます
②縮む
③語る
④疑い
⑤負う
⑥秘める
⑦従う
⑧任せる
⑨全て
⑩競う

5 四字熟語
①千秋
②気炎
③一貫
④無尽
⑤品行
⑥哀楽
⑦有為
⑧垂範
⑨多岐
⑩是非

6 書き取り
①特殊
②仮説
③食卓
④幻想
⑤補
⑥告
⑦墨
⑧炊

第24回　ミニテスト　……本冊P50・51

1 読み
①じゅんしゅ
②とくめい
③まいせつ
④いろう
⑤すいたい
⑥こうぼ
⑦もほう
⑧しめ
⑨ことわ
⑩はか

2 同音・同訓異字
①ウ
②エ
③ア
④イ
⑤エ
⑥ア

3 類義語
①座
②概
③衛
④諾
⑤朗

4 熟語の構成
①ウ
②エ
③ア
④ア
⑤ウ
⑥エ
⑦イ
⑧イ
⑨ア
⑩ウ
⑪オ

5 四字熟語
①辛苦
②雑言
③択一
④絶頂
⑤異曲
⑥孤立
⑦鯨飲
⑧不滅
⑨果敢
⑩卓説

6 書き取り
①偶然
②後悔
③結晶
④分裂
⑤滝
⑥塗
⑦野菊
⑧指輪

第25回 ミニテスト ……本冊P52・53

1 読み
① とうけつ
② かいてい
③ きょうえつ
④ しょうそう
⑤ しゅりょう
⑥ ことう
⑦ ほげい
⑧ き
⑨ ほ
⑩ の

2 同音・同訓異字
① ア
② エ
③ オ
④ イ
⑤ ウ
⑥ ア

3 対義語
① 粗
② 属
③ 揺
④ 帯
⑤ 隆

4 部首
① ア
② ア
③ ア
④ エ
⑤ ア
⑥ ウ
⑦ エ
⑧ ア
⑨ イ
⑩ エ

5 誤字訂正
誤 正
① 規↓基
② 功↓光
③ 週↓周
④ 彩↓細
⑤ 比↓飛
⑥ 価↓貨
⑦ 付↓負
⑧ 泊↓迫

6 書き取り
① 選択
② 企業
③ 変換
④ 効率
⑤ 唱
⑥ 豚肉
⑦ 炎
⑧ 田舎

第26回 ミニテスト ……本冊P54・55

1 読み
① いりゅう
② とうだん
③ きょしょう
④ かいだく
⑤ かんあん
⑥ かんぷう
⑦ へいおん
⑧ にく
⑨ すべ
⑩ つなわた

2 漢字識別
① ウ
② エ
③ カ
④ キ
⑤ ク

3 類義語
① 憶
② 隆
③ 稚
④ 辛
⑤ 黙

4 送りがな
① 集う
② 失う
③ 営む
④ 埋める
⑤ 隔て
⑥ 覆う
⑦ 潤す
⑧ 異なる
⑨ 導く
⑩ 志す

5 四字熟語
① 滅裂
② 全霊
③ 飽食
④ 人跡
⑤ 葬祭
⑥ 欠乏
⑦ 鶏口
⑧ 真剣
⑨ 不眠
⑩ 乾燥

6 書き取り
① 清掃
② 細胞
③ 緊張
④ 邪悪
⑤ 誠
⑥ 飽
⑦ 浅瀬
⑧ 怪

第27回 ミニテスト ……本冊P56・57

1 読み
① とそう
② ほんぽう
③ そうだつ
④ いこん
⑤ ちょうえつ
⑥ せいれん
⑦ そそう
⑧ あさせ
⑨ はな
⑩ しぼ

2 同音・同訓異字
① イ
② エ
③ ア
④ イ
⑤ エ
⑥ オ

3 対義語
① 匿
② 詳
③ 卑
④ 往
⑤ 削

4 熟語の構成
① ウ
② ア
③ オ
④ ア
⑤ ウ
⑥ エ
⑦ イ
⑧ ウ
⑨ ア
⑩ ア
⑪ エ

5 四字熟語
① 一遇
② 高揚
③ 万端
④ 孤軍
⑤ 一触
⑥ 盛衰
⑦ 激励
⑧ 胆大
⑨ 八倒
⑩ 放免

6 書き取り
① 幼稚
② 野蛮
③ 有効
④ 令嬢
⑤ 描
⑥ 程遠
⑦ 哀
⑧ 巣立

第28回 ミニテスト ……本冊P58・59

1 読み
①ばくろ
②じょうと
③ちょうしゅ
④どうよう
⑤つうこん
⑥れいさい
⑦ふくし
⑧さむらい
⑨なごり
⑩きそ

2 同音・同訓異字
①ア
②ウ
③イ
④ア
⑤イ
⑥ウ

3 類義語
①裁
②宝
③断
④特
⑤辛

4 部首
①エ
②ア
③エ
④イ
⑤エ
⑥ア
⑦ウ
⑧エ
⑨ア
⑩エ

5 誤字訂正
誤 正
①継→警
②候→講
③思→視
④想→層
⑤可→過
⑥堤→停
⑦党→統
⑧脳→能

6 書き取り
①移籍
②一滴
③王冠
④開催
⑤浮
⑥揚
⑦奥歯
⑧片時

第29回 ミニテスト ……本冊P60・61

1 読み
①ききゃく
②だっかい
③かいふう
④はめつ
⑤ちじょく
⑥ふずい
⑦がだん
⑧まぼろし
⑨かしこ
⑩あらけず

2 漢字識別
①ア
②イ
③カ
④キ
⑤エ

3 対義語
①遇
②抑
③具
④解
⑤獄

4 送りがな
①憎む
②寄せる
③易しい
④築く
⑤快く
⑥盛んな
⑦幸せな
⑧辞める
⑨割く
⑩招く

5 四字熟語
①処置
②千紫
③九厘
④意気
⑤無双
⑥是非
⑦邪説
⑧三脚
⑨吐息
⑩遠隔

6 書き取り
①果敢
②覚悟
③確実
④環境
⑤輝
⑥辛
⑦菊
⑧凝

第30回 ミニテスト ……本冊P62・63

1 読み
①ぎせい
②ひょうはく
③しんびがん
④ついずい
⑤こうわん
⑥かんわ
⑦こつずい
⑧かた
⑨おだ
⑩きもだめ

2 同音・同訓異字
①イ
②ウ
③エ
④ウ
⑤エ
⑥オ

3 類義語
①勢
②架
③裁
④介
⑤除

4 熟語の構成
①ア
②ア
③エ
④ア
⑤エ
⑥ア
⑦オ
⑧エ
⑨ウ
⑩イ
⑪ア

5 四字熟語
①夏炉
②山紫
③乱舞
④沈下
⑤奇怪
⑥潜在
⑦汚名
⑧免許
⑨同体
⑩多岐

6 書き取り
①乾燥
②騎馬
③凝固
④終了
⑤辛口
⑥削
⑦誘
⑧澄

第1回

模擬テスト 解答・解説

本冊 P.66~71

(一) 読み

① ろうでん
② そち
③ ばっすい
④ しょうこう
⑤ けんやく
⑥ えつらん
⑦ ぞうすい
⑧ のうこん
⑨ きてい
⑩ ひとく
⑪ きし
⑫ ほうじゅん
⑬ じゅんしゅ
⑭ しゅりょう
⑮ しんぎ
⑯ たいほ
⑰ こくふく
⑱ じょうざい
⑲ けいちょう
⑳ あいかん
㉑ おこた
㉒ もよお
㉓ たずさ
㉔ ほが
㉕ きぼ
㉖ わら
㉗ つらぬ
㉘ くじら
㉙ うら
㉚ ほばしら

ワンポイント

読み

①**漏電** 電気が回路の外に漏れること。火事などの原因になる。

⑤**倹約** むだを省き、費用を切り詰めること。

⑪**棋士** 職業として碁または将棋を行う人。

⑫**豊潤** 豊かで潤いがあること。

⑬**遵守** 法律などを守ること。

⑰**克服** 努力して困難に勝つこと。

⑲**傾聴** 耳を傾けること。熱心に聞くこと。

㉑**怠る** 送りがなに注意。「怠(なま)ける」とも読む。

㉒**催す** 人々が集まる行事を企て準備し、行う。

㉖**笑わす** 他に「笑(え)み」という訓読みもある。

㉘**鯨** 音読みは「ゲイ」。四字熟語「鯨飲馬食」も頻出。

㉚**帆柱** 船の帆を張るための柱。マストのこと。

(二) 同音・同訓異字

① ウ
② ア
③ イ
④ ウ
⑤ エ
⑥ オ
⑦ ウ
⑧ イ
⑨ オ
⑩ エ
⑪ イ
⑫ ア
⑬ イ
⑭ エ
⑮ オ

ワンポイント

同音・同訓異字

①**硬質** かたい性質。

②**精巧** 作りが細かくよく出来ていること。

③**近郊** 都市に近い郊外。

④**鍛錬** 金属を叩いてきたえること。訓練で技能を高めること。

⑤**嘆息** 嘆いてため息をつくこと。

⑥**冷淡** 興味や関心、思いやりがないこと。

⑦**遂げる** 目的を達成する。

⑧**撮る** 画像や映像を撮影する。

⑨**研ぎすます** 精神や神経を敏感にする。

⑩**卑下** 自分を人より劣った者として扱うこと。

⑪**石碑** 石製の碑。

⑫**肥料** 植物の生育のために与える栄養分。

⑬**終止符** ピリオド。

⑭**赴任** 任地に行くこと。

⑮**豊富** 豊かにあること。

(三) 漢字識別

① ア
② ウ
③ カ
④ キ
⑤ イ

(四) 熟語の構成

① ウ
② イ
③ ア
④ エ
⑤ ア
⑥ ア
⑦ エ
⑧ エ
⑨ オ
⑩ イ

ワンポイント

漢字識別

①**間伐** 樹木の発育を助けるために、一部を間引いて切ること。

②**換気** 空気を入れかえること。

③**敢行** 無理を承知の上で、あえてすること。

敢然 思い切って物事を行うこと。

④**合掌** 手を合わせて拝むこと。

分掌 手分けして受け持つこと。

熟語の構成

①**共謀**…共に↓謀る(計画する)

②**抑揚**…抑える⇕揚げる

③**悦楽**…悦び＝楽しい

④**喫茶**…喫する(飲む)↑茶を

⑤**丘陵**…丘＝陵

⑥**遭遇**…遭う＝遇う

⑦**訪欧**…訪ねる↑欧州を

⑧**養鶏**…養う↑鶏を

⑨**未踏**…踏まれていない。たどり着いた人のない境地。

⑩**屈伸**…屈(曲げる)⇕伸ばす

(五) 部首

①ウ ②ア ③エ ④エ ⑤イ ⑥エ ⑦イ ⑧エ ⑨ウ ⑩エ

(六) 対義語・類義語

①潔 ②創 ③稚 ④栄 ⑤解 ⑥債 ⑦意 ⑧切 ⑨座 ⑩退

(七) 送りがな

①備える ②垂れ ③惜しむ ④味わう ⑤飽きる

ワンポイント

部首

①**戯**　部首は戈（ほこづくり）。

④**処**　部首は几（つくえ）。

⑤**辱**　部首は辰（しんのたつ）。「農」も同じ部首。

対義語

①**冗長**⇔**簡潔**
②**模倣**⇔**独創**
③**老練**⇔**幼稚**
④**零落**⇔**栄達**
⑤**雇用**⇔**解雇**

類義語

⑥**借金**＝**負債**
⑦**思惑**＝**意図**
⑧**肝要**＝**大切**
⑨**看過**＝**座視**
⑩**討伐**＝**退治**

送りがな

①**備える**　準備する。同訓異字の「供える」（神仏に捧げる）もよく出る。

⑤**飽きる**　「き」から送りがなになる。

(八) 四字熟語

①低頭 ②炉辺 ③貧乏 ④暗鬼 ⑤月歩 ⑥難攻 ⑦地異 ⑧自暴 ⑨深山 ⑩理路

(九) 誤字訂正

	誤		正
①	基	→	規
②	領	→	量
③	対	→	待
④	転	→	展
⑤	盛	→	勢

ワンポイント

四字熟語

①**平身低頭**　ひたすら頭を下げること。

②**炉辺談話**　ろばたでするような気楽な会話。

③**器用貧乏**　器用でさまざまなことに手を出すが、どれも半端なまま大成しないこと。

④**疑心暗鬼**　疑いの気持ちがあると、ちょっとしたことでも疑わしく思えること。

⑤**日進月歩**　月日とともに絶え間なく進歩すること。

⑥**難攻不落**　攻めることが難しく、なかなか攻略できないこと。

⑦**天変地異**　自然界に起こる災害や異変のこと。

⑧**自暴自棄**　自分のことがどうでもよくなり、やけくそになること。

⑨**深山幽谷**　人が足を踏み入れていない静かな自然。

⑩**理路整然**　話の筋道が整理されている様子。

(十) 書き取り

①典型 ②形相 ③発覚 ④純真 ⑤水準 ⑥提供 ⑦序列 ⑧容姿 ⑨著 ⑩授 ⑪頂 ⑫滑 ⑬速 ⑭古株 ⑮励 ⑯逆 ⑰報 ⑱旗印 ⑲我 ⑳背広

ワンポイント

書き取り

①**典型**　特徴を最もよく表している代表例。

②**形相**　顔かたち。

③**発覚**　秘密がばれること。

⑥**提供**　相手の役に立つように差し出すこと。「扌」と「扌」を書き間違えないように。

⑦**序列**　順序をつけて並べること。

⑩**授かる**　神仏や目上の人から、大切なものを与えられる。

⑫**滑る**　なめらかに動く。

⑭**古株**　集団に古くからいる人。

⑮**励ます**　元気が出るよう力づける。左側は「厂」の下に「万」と書く。

⑰**報いる**　受けた恩にふさわしいお返しをする。

⑱**旗印**　旗に字などを染め抜いて戦場の目印としたもの。行動の目標のこと。

第2回 模擬テスト 解答・解説

本冊 P.72〜77

（一）読み

①たくえつ
②ゆうりょ
③よくせい
④こうえつ
⑤ちゅうしょう
⑥かいこん
⑦とうこん
⑧せきはい
⑨おんびん
⑩せんぷく
⑪ちくさん
⑫かいてい
⑬じひ
⑭ずいじ
⑮ふんぼ
⑯けっぺき
⑰たんれん
⑱さいそく
⑲りんかく
⑳しょうあく
㉑いちじる
㉒とつ
㉓おど
㉔こ
㉕やと
㉖か
㉗こころにく
㉘しめ
㉙む
㉚かね

ワンポイント

読み

①**卓越** はるかに優れていること。
②**憂慮** 心配して思案すること。
④**校閲** 文書の誤りや不備な点などを調べること。
⑥**悔恨** 後悔し残念に思うこと。
⑨**穏便** 穏やかで、ことを荒立てないさま。
⑩**潜伏** ひそんで出て来ないこと。「せんぷく」のように「ん」に続く字は半濁音になる場合が多い。
⑮**墳墓** お墓やそのお墓がある場所。
⑯**潔癖** 不潔なものを極度に嫌うこと。
⑳**掌握** 自分の思いどおりにすること。
㉔**粉** 「こな」の他に「こ」とも読む。
㉗**心憎い** 憎らしいほど見事。よい意味で使うことに注意。

（二）同音・同訓異字

①ウ
②エ
③ア
④イ
⑤ウ
⑥オ
⑦イ
⑧エ
⑨オ
⑩イ
⑪ウ
⑫オ
⑬エ
⑭イ
⑮ア

ワンポイント

同音・同訓異字

①**棋士** 碁または将棋を行う人。
②**企画** 計画を立てること。もくろみ。
③**騎乗** 馬に乗ること。
④**顧客** 得意客。
⑤**孤独** ひとりぼっち。
⑥**弧状** 弓なり。
⑦**締める** ひもなどを強く引いて、ゆるまないようにする。
⑧**占める** 場所・地位などを、自分のものとする。
⑨**強いる** 無理にさせる。
⑩**揚力** 上向きに作用する力。
⑪**童謡** 子供のための歌。
⑫**擁立** 支持して位につかせること。
⑬**浪人** 主家を去ったり、失ったりした武士。学籍がない状態で、入社・入学を目指す人。
⑭**廊下** 建物内の細長い通路。
⑮**楼上** 高い建物の上。

（三）漢字識別

①ク
②ケ
③イ
④ウ
⑤カ

（四）熟語の構成

①イ
②イ
③エ
④エ
⑤ウ
⑥ウ
⑦オ
⑧イ
⑨ウ
⑩ア

ワンポイント

漢字識別

②**滑車** 綱などをかけて回転させる車（円盤）。小さい力で重い物を持ち上げたり、力の方向を変えるのに使う。
④**奇遇** 思いがけないめぐりあい。
⑤**使役** 他人を使って仕事をさせること。

熟語の構成

①**尊卑**…尊い⇔卑しい
②**栄辱**…栄誉⇔恥辱
③**慰霊**…慰める←霊を
④**捕鯨**…捕まえる←鯨を
⑤**傍聴**…傍らで→聴く
⑥**辛勝**…辛うじて→勝つ
⑦**未納**…納めていない
⑧**添削**…添える⇔削る
⑨**硬貨**…硬い→通貨
⑩**衝突**…衝く＝突く

(五) 部首

①ウ　②イ　③ア　④エ　⑤ア
⑥イ　⑦ア　⑧イ　⑨ウ　⑩ア

(六) 対義語・類義語

①遵　②護　③易　④激　⑤任
⑥勉　⑦苦　⑧収　⑨概　⑩邪

(七) 送りがな

①連なる　②朗らかな　③怠る　④焦げ　⑤縛る

ワンポイント

部首

②**獄**　部首は犭（けものへん）。
④**瀬**　部首は氵（さんずい）。
⑤**逮**　部首は辶（しんにょう）。「逮」は「手が届く」という意味の字。

対義語

①**違反⇔遵守**
②**虐待⇔愛護**
③**難解⇔平易**
④**穏健⇔過激**
⑤**強制⇔任意**

類義語

⑥**精勤＝勤勉**
⑦**貧困＝困苦**
⑧**出納＝収支**
⑨**大筋＝概略**
⑩**妨害＝邪魔**

送りがな

②**朗らかな**　「…らか」「…やか」から送りがなになることが多い。

(八) 四字熟語

①旧跡　②笑止　③百鬼　④直情　⑤油断
⑥舌先　⑦飛語　⑧動地　⑨存亡　⑩同床

(九) 誤字訂正

	誤		正
①	章	↓	装
②	偉	↓	遺
③	集	↓	衆
④	象	↓	承
⑤	投	↓	頭

ワンポイント

四字熟語

①**名所旧跡**　きれいな景色や歴史のある場所のこと。
②**笑止千万**　とてもばかばかしいこと。
③**百鬼夜行**　悪い人たちが好きにふるまうこと。
④**直情径行**　感情のままに言動に表すこと。「経」と書かない。
⑤**油断大敵**　気を抜いて失敗することをいましめた言葉。
⑥**舌先三寸**　口先だけでうまくあしらうこと。
⑦**流言飛語**　世の中に広がる根拠のない情報。
⑧**驚天動地**　世間を大いに驚かすこと。
⑨**危急存亡**　生きるか死ぬかの危機的状況。
⑩**同床異夢**　同じ立場であっても考えが違うこと。

(十) 書き取り

①姿勢　②星座　③偶然　④独創　⑤模様　⑥展覧　⑦課税　⑧補修　⑨定評　⑩自負
⑪対処　⑫拝　⑬災　⑭生　⑮疑　⑯肝　⑰小包　⑱居直　⑲風向　⑳険

ワンポイント

書き取り

③**偶然**　思いがけないこと。「偶」と似た「遇」と間違えない。
④**独創**　独自の発想でつくりだすこと。
⑧**補修**　いたんだ箇所を直すこと。補の部首は衤（ころもへん）。
⑨**定評**　広く一般に認められている評判。
⑩**自負**　自分の才能や仕事に自信をもち、誇りに思うこと。
⑬**災い**　不幸をもたらす物事。送りがなは「い」のみ。
⑯**肝**　「肝」は内臓のこと。「肝を冷やす」で、驚き恐れて、ひやりとする意味。
⑳**険しい**　傾斜が急なこと。表情がとげとげしいこと。

第3回

模擬テスト 解答・解説

本冊 P.78〜83

(一) 読み

①けんえつ
②れいほう
③くったく
④しゅしょう
⑤かかん
⑥てんさく
⑦ほんやく
⑧しゅうぜん
⑨れんか
⑩さつばつ
⑪たいぼう
⑫ほうのう
⑬きょうえつ
⑭ぎょうけつ
⑮きょしょく
⑯ひょうちゃく
⑰きゅうりょう
⑱えいたん
⑲せつじょく
⑳しょうどう
㉑はたあ
㉒く
㉓も
㉔ねば
㉕ふく
㉖とどこお
㉗しぼ
㉘すで
㉙と
㉚たましい

ワンポイント

読み

①**検閲** 権力者が本などを検査し発表を禁止すること。
②**霊峰** 信仰の対象となっている山。
③**屈託** 気になってくよくよすること。「屈託のない笑顔」のように使われる。
④**殊勝** けなげで感心なこと。類義語は「奇特」。
⑨**廉価** 値段が安いこと。
⑫**奉納** 神仏に献上すること。
⑭**凝結** こりかたまること。気体が液体になること。
⑱**詠嘆** 深く感動すること。感動を声で表すこと。
⑲**雪辱** かつて負けた相手を破って、名誉を取り戻すこと。「雪」は「そそぐ」の意味で、辱めを取り除くこと。
㉖**滞る** 物事が順調に運ばない。送りがなにも注意。

ワンポイント

㉗**絞る** ほかに「絞（し）める」とも読む。

(二) 同音・同訓異字

①イ
②エ
③オ
④イ
⑤ア
⑥エ
⑦ア
⑧ウ
⑨イ
⑩イ
⑪ウ
⑫エ
⑬イ
⑭エ
⑮オ

同音・同訓異字

①**脅威** おびやかすこと。
②**山峡** 山のせまった狭い谷間。
③**絶叫** 大声を出して叫ぶこと。
④**焦土** 焼けて黒くなった土。
⑤**昇格** 格式などが上がること。
⑥**師匠** 学問、技術、芸を教える人。
⑦**阻止** 妨げてやめさせること。
⑧**基礎** 物事を成立させるもとの部分。
⑨**措置** 取りはからい始末をつけること。
⑩**得心** 納得すること。
⑪**匿名** 自分の名前を隠して知らせないこと。
⑫**危篤** 今にも死にそうなこと。
⑬**掃く** ほうきでごみを除く。
⑭**跳ねる** はずみをつけて空中にあがる。
⑮**恥じ入る** 自分の罪や欠点を恥ずかしく思う。

(三) 漢字識別

①オ
②ウ
③キ
④ア
⑤ケ

(四) 熟語の構成

①ア
②ウ
③エ
④エ
⑤ウ
⑥ウ
⑦オ
⑧イ
⑨イ
⑩エ

ワンポイント

漢字識別

①**悲哀** 悲しく哀れなこと。
哀願 同情心にうったえて頼むこと。
④**卑近** ありふれていること。
卑俗 下品でいやしいこと。
卑劣 品性や言動がいやしいこと。正々堂々としていないこと。

熟語の構成

①**犠牲**…犠 ＝ 牲 どちらも「いけにえ」の意味。
②**愚問**…愚かな ↓ 質問
③**鎮痛**…鎮める ↑ 痛みを
④**養豚**…養う ↑ 豚を
⑤**栄冠**…栄誉ある ↓ 冠
⑥**湖畔**…湖の ↓ 畔（岸辺）
⑦**不審**…審（明らか）でない
⑧**愛憎**…愛する ⇕ 憎む
⑨**乾湿**…乾く ⇕ 湿る
⑩**催眠**…催す ↑ 眠気を

(五) 部首

①ウ ②ア ③ア ④エ ⑤イ

⑥ア ⑦ウ ⑧ア ⑨エ ⑩エ

(六) 対義語・類義語

①協 ②素 ③没 ④都 ⑤事

⑥幽 ⑦悟 ⑧衛 ⑨品 ⑩諾

(七) 送りがな

①蒸す ②耕す ③謝る ④慌てる ⑤貫く

ワンポイント

部首

②**企**
部首は𠆢（ひとやね）。

⑤**卓**
部首は十（じゅう）。一見わかりにくいので注意。

対義語

①**妨害⇔協力**
②**華美⇔質素**
③**繁栄⇔没落**
④**郊外⇔都心**
⑤**虚構⇔事実**

類義語

⑥**拘留＝幽閉**
⑦**決心＝覚悟**
⑧**警護＝護衛**
⑨**低俗＝下品**
⑩**認可＝許諾**

送りがな

②**耕す**
田畑を掘り返して、土を軟らかくする。送りがなは「す」。

④**慌てる**
平静さを失う。送りがなは「てる」。

(八) 四字熟語

①千差 ②無縫 ③薄弱 ④生存 ⑤熟慮

⑥端麗 ⑦粗製 ⑧一憂 ⑨開放 ⑩馬耳

(九) 誤字訂正

	誤		正
①	価	→	貨
②	壊	→	改
③	新	→	進
④	行	→	向
⑤	容	→	用

ワンポイント

四字熟語

①**千差万別**
さまざまな種類や違いがあること。

②**天衣無縫**
わざとらしいテクニックやこった様子がなく、自然なさま。

③**意志薄弱**
意志が弱く、決めることができないさま。

④**適者生存**
環境に順応したものだけが栄えること。

⑤**熟慮断行**
考え抜いた上で思い切って行動すること。

⑥**容姿端麗**
姿、外見が美しいこと。

⑦**粗製濫造**
質の悪い物を多く作り出すこと。

⑧**一喜一憂**
状況が変わるごとに喜んだり、心配したりすること。

⑨**門戸開放**
制約なく、出入りなどを自由にすること。

⑩**馬耳東風**
人の話を気にしないで聞き流すこと。

(十) 書き取り

①敵 ②街頭 ③明朗 ④順当 ⑤便乗 ⑥親善 ⑦選択 ⑧必然 ⑨要因 ⑩忠告 ⑪日和 ⑫肥 ⑬集 ⑭預 ⑮刷 ⑯伸 ⑰群 ⑱背 ⑲舌打 ⑳炊

ワンポイント

書き取り

①**敵**
訓読みは「かたき」。

②**街頭**
まちなか。路上。

④**順当**
そうなるのが当然なこと。

⑤**便乗**
他人の乗り物に、ついでに乗せてもらうこと。機会をとらえて利用すること。

⑧**必然**
そうなることが確実なこと。対義語は「偶然」。

⑩**忠告**
こころをこめて相手の欠点を指摘すること。

⑪**日和**　天候。空模様。

⑬**集う**
人々が寄りあう。他に「集（あつ）まる」と読む。

⑯**伸びる**
それ自体が長くなる。

延びる
継ぎ足して長くする。日時が遅れる。

⑳**炊く**
水と一緒に煮て食べられるようにすること。

第4回 模擬テスト 解答・解説

本冊 P.84〜89

(一) 読み

① ほうろう
② ちんあつ
③ そがい
④ ざんじ
⑤ ほうこう
⑥ じぜん
⑦ せいこう
⑧ とうすい
⑨ たいりゅう
⑩ かんき
⑪ そくしん
⑫ しょうばん
⑬ いろう
⑭ てつがく
⑮ ちんれつ
⑯ しょうだく
⑰ ごらく
⑱ けつれつ
⑲ のぎく
⑳ えつ
㉑ もぐ
㉒ さまた
㉓ かたまり
㉔ かか
㉕ から
㉖ き
㉗ ゆえ
㉘ はだか
㉙ あや
㉚ はか

ワンポイント

読み

②**鎮圧**
騒ぎを力で押さえしずめること。

④**暫時**
しばらくの間。「暫」は他に「暫定」などで使われる。

⑧**陶酔**
うっとりしてその境地に浸ること。

⑩**喚起**
呼び起こすこと。「換気」（空気を入れかえる）との混同に注意。

⑫**相伴**
メインゲストの連れとして、一緒に接待を受けること。「ご相伴にあずかる」という言い回しで使われる。

⑮**陳列**
物を並べて置くこと。

⑯**承諾** 引き受けること。

㉑**潜る**
「潜（ひそ）む」とも読む。どちらもよく出る。

㉕**辛い**
「辛（つら）い」とも読むが、3級では出ない。

㉘**裸**
送りがなをつけずに「はだか」と読む。

㉚**諮る**
他人に意見を求める。「諮問」も同じ意味。

(二) 同音・同訓異字

① イ
② ア
③ オ
④ ウ
⑤ ア
⑥ イ
⑦ イ
⑧ エ
⑨ オ
⑩ ア
⑪ エ
⑫ ウ
⑬ ア
⑭ エ
⑮ オ

ワンポイント

同音・同訓異字

①**惜しむ** 心残りに思う。

②**生い立ち**
成人するまでの過程。

③**織る**
縦糸と横糸を組み合わせて布を作る。

④**啓示**
明らかに表して示すこと。特に神などから真理などが示されること。

⑤**契約**
約束を取り交わすこと。

⑥**傾向**
状態や性質がある方向に傾きがちなこと。

⑦**節倹** 節約すること。

⑧**先賢** 昔の賢人。

⑨**保険**
損害を補償する制度。「保健」（健康を保つ）との違いに注意。

⑩**訂正** 誤りを直すこと。

⑪**帝王**
君主。特定の分野で権力を持つ人。

⑫**抵抗力**
病気などに耐える力。

⑬**激励** 励ますこと。

⑭**霊体** 霊的なもの。

⑮**年齢** とし。「年令」は、小学生用に書き換えた表現。

(三) 漢字識別

① キ
② ク
③ ケ
④ エ
⑤ オ

(四) 熟語の構成

① ウ
② ア
③ エ
④ エ
⑤ エ
⑥ エ
⑦ ア
⑧ イ
⑨ ウ
⑩ オ

ワンポイント

漢字識別

②**譲渡**
ゆずりわたすこと。

分譲
土地や家を分けて売ること。

譲歩
主張を引っ込めて相手の意見に従うこと。

③**鶏頭**
鶏のとさかに似た花が咲く植物。

軍鶏
闘鶏用の鶏。食用にもなる。「シャモ」とも読む。

熟語の構成

①**粗食**…粗末な↓食事
②**脅威**…脅かす＝威
③**赴任**…赴く↑任地に
④**免税**…免れる↑税を
⑤**炊飯**…炊く↑飯を
⑥**翻意**…翻す↑意志を
⑦**欠乏**…欠く＝乏しい
⑧**哀歓**…哀しみ⇕歓び
⑨**塗料**…塗る↓材料
⑩**不吉**…吉でない

(五) 部首

①ウ
②イ
③エ
④ア
⑤エ
⑥ウ
⑦エ
⑧エ
⑨ア
⑩ア

(六) 対義語・類義語

①勉
②拘
③柔
④零
⑤湿
⑥篤
⑦念
⑧没
⑨惑
⑩朗

(七) 送りがな

①背く
②著しい
③伏せる
④漂う
⑤告げる

ワンポイント

部首

①**卸**
部首は卩（ふしづくり）。

③**貫**
部首は貝（かい）。

⑤**我**
部首は戈（ほこづくり）。

対義語

①**怠慢⇕勤勉**
②**解放⇕拘束**
③**強固⇕柔弱**
④**栄達⇕零落**
⑤**乾燥⇕湿潤**

類義語

⑥**重体＝危篤**
⑦**克明＝丹念**
⑧**専心＝没頭**
⑨**混迷＝困惑**
⑩**吉報＝朗報**

送りがな

②**著しい**
他に「著（あらわ）す」とも読む。

④**漂う**
送りがなは「う」のみ。

(八) 四字熟語

①一挙
②満面
③奇想
④清廉
⑤活殺
⑥万化
⑦異体
⑧無病
⑨始終
⑩麗句

(九) 誤字訂正

	誤		正
①	限	→	減
②	自	→	持
③	作	→	査
④	破	→	敗
⑤	加	→	可

ワンポイント

四字熟語

①**一挙両得**
一つのことで二つの利益を得ること。

②**喜色満面**
喜びが表情にあふれ出ている様子。

③**奇想天外**
思いもよらない奇抜なこと。

④**清廉潔白**
心が清らかで、不正をしないこと。

⑤**活殺自在**
相手を思い通りにできること。

⑥**千変万化**
多種多様に変化すること。

⑦**異体同心**
体が別々でも、心は一つだということ。

⑧**無病息災**
病気をしないで、健康でいること。

⑨**一部始終**
物事の最初から終わりまで。

⑩**美辞麗句**
上辺だけ飾り立てた言葉。

(十) 書き取り

①再開
②模造
③後悔
④推移
⑤胸中
⑥企業
⑦負担
⑧演劇
⑨類似
⑩発揮
⑪素直
⑫蒸
⑬情
⑭手探
⑮焦
⑯見境
⑰推
⑱田舎
⑲小刻
⑳至

ワンポイント

書き取り

②**模造**
実物に似せて作ること。

⑤**胸中**
胸の内。思い。

⑨**類似**
似とよく似ている「以」と書き間違えない。

⑩**発揮**
特性を十分に働かせること。「輝」ではない。

⑫**蒸す**
「水」に似た中央の形や、「灬」の上に横線がある点に注意。

⑬**情け**
他人をいたわる心。

⑭**手探り**
探は「探（さが）す」とも読む。

⑮**焦がれる**
いちずに思う。他に「焦点」もよく出る熟語。

⑯**見境**
「見境なく」で「手当たり次第に」の意味。

⑱**田舎**
本来「田」も「舎」も「イ」「ナカ」とは読まない。このように、漢字の熟語に日本語を当てはめた読みを熟字訓という。

⑳**至る**
「至れり尽くせり」で細かく配慮が行き届いていること。

第5回

模擬テスト 解答・解説

本冊 P.90〜95

(一) 読み

① かきょう
② きかく
③ じゃすい
④ じゅんたく
⑤ えんかつ
⑥ かいこん
⑦ たくばつ
⑧ しょうてん
⑨ こうさく
⑩ かんすい
⑪ ゆうち
⑫ しょうちゅう
⑬ まんえつ
⑭ みっぷう
⑮ こんたん
⑯ じゅんすい
⑰ じょうちゅう
⑱ ことう
⑲ みわく
⑳ ぎょうし
㉑ きょえい
㉒ へだ
㉓ かな
㉔ おとろ
㉕ あ
㉖ ほ
㉗ お
㉘ す
㉙ の
㉚ うる

ワンポイント

読み

①**佳境**　いいところ。クライマックス。
③**邪推**　ひがんで、悪いように想像すること。
⑦**卓抜**　抜きんでて優れていること。
⑨**交錯**　入りまじること。
⑩**完遂**　完全にやりとげること。「遂（スイ）」を「ツイ」と読み間違えない。
⑫**掌中**　てのひらの中。
⑮**魂胆**　心に持つたくらみ。
⑲**魅惑**　人の心をひきつけ、理性を失わせること。
㉑**虚栄**　見栄を張ること。
㉒**隔てる**　間に物を置いてさえぎる。
㉔**衰え**　勢いや能力が弱まること。
㉕**飽きる**　「き」から送りがなになる点に注意。
㉘**擦れる**　物と物がこすれる。音読み「擦過傷（さっかしょう）」もまれに出る。

(二) 同音・同訓異字

① イ
② ウ
③ オ
④ イ
⑤ ウ
⑥ エ
⑦ ウ
⑧ ア
⑨ イ
⑩ ア
⑪ イ
⑫ ウ
⑬ ア
⑭ イ
⑮ オ

ワンポイント

同音・同訓異字

①**勘定**　お金を数えること。
②**果敢**　思い切って物事を行うこと。決断力があること。
③**交換**　取り替えること。
④**悔いる**　悔しく残念に思う。
⑤**朽ちる**　木が腐ってくずれる。
⑥**組む**　部分を合わせて全体を形づくる。
⑦**坑内**　鉱山の坑道の中。「構内」（敷地・建物の中）との違いに注意。
⑧**通気孔**　換気用の穴。「通気口」とも書く。
⑨**甲乙**　優劣。昔の成績表は、甲乙丙の順に、ランクづけされた。
⑩**排斥**　拒み退けること。
⑪**本籍地**　戸籍の保管場所。
⑫**数隻**　隻は舟などを数える単位。
⑬**胎動**　母の胎内の子が動くこと。
⑭**逮捕**　犯人を捕まえること。
⑮**怠慢**　なまけること。

(三) 漢字識別

① コ
② カ
③ ウ
④ ア
⑤ オ

(四) 熟語の構成

① イ
② ウ
③ ア
④ エ
⑤ イ
⑥ オ
⑦ イ
⑧ エ
⑨ エ
⑩ イ

ワンポイント

漢字識別

①**召喚**　人を呼び出すこと。
喚問　呼び出して、問いただすこと。
③**擁立**　もりたてて高い地位に就かせようとすること。
④**興隆**　勢いが盛んになって栄えること。
隆盛　栄えて盛んなこと。

熟語の構成

①**賢愚**…賢い⇔愚か
②**暫定**…しばらく→定める
③**墜落**…墜＝落
④**禁猟**…禁じる←猟を
⑤**賞罰**…賞⇔罰
⑥**未来**…まだ来ない
⑦**緩急**…緩やか⇔急
⑧**除湿**…除く←湿気を
⑨**免責**…免れる←責任を
⑩**吉凶**…吉⇔凶

(五) 部首

①エ　②イ　③イ　④ア　⑤ア
⑥エ　⑦ア　⑧ウ　⑨エ　⑩エ

(六) 対義語・類義語

①接　②鎮　③属　④好　⑤揺
⑥適　⑦参　⑧達　⑨憶　⑩誘

(七) 送りがな

①危うい　②構える　③浴びる　④滅する　⑤悟る

ワンポイント

部首

①**契**
部首は大（だい）。似た字「喫」の部首は口（くちへん）。

②**窒**
部首は穴（あなかんむり）。

③**痘**
部首は疒（やまいだれ）。痘は「水ぶくれができる伝染病」という意味。

対義語

①**遠隔 ⇕ 近接**
②**興奮 ⇕ 鎮静**
③**支配 ⇕ 従属**
④**不況 ⇕ 好況**
⑤**安定 ⇕ 動揺**

類義語

⑥**相当 ＝ 適合**
⑦**投降 ＝ 降参**
⑧**成就 ＝ 達成**
⑨**回顧 ＝ 追憶**
⑩**先導 ＝ 誘導**

送りがな

①**危うい**
「危ない」と共に送りがなではよく出る問題。

(八) 四字熟語

①専心　②破顔　③随一　④絶後　⑤二束（二足）
⑥晴耕　⑦四分　⑧深長　⑨名実　⑩明朗

(九) 誤字訂正

	誤		正
①	生	→	傷
②	納	→	収
③	征	→	制
④	成	→	精
⑤	定	→	停

ワンポイント

四字熟語

①**一意専心**
一つのことだけに集中すること。

②**破顔一笑**
顔をほころばせてにっこり笑うこと。

③**当代随一**
今の時代で一番優れていること。

④**空前絶後**
今までになく、今後もないであろうこと。

⑤**二束三文**
値段がとても安いこと。

⑥**晴耕雨読**
世間の面倒から離れて静かに暮らすこと。

⑦**四分五裂**
統一が乱れ、ばらばらになること。

⑧**意味深長**
表面的な意味の裏に別の意味が含まれていること。

⑨**名実一体**
名目と実体が合致していること。

⑩**明朗快活**
明るく活気のあるさま。

(十) 書き取り

①念頭　②批判　③度胸　④業績　⑤討論　⑥混乱　⑦亡命　⑧清掃　⑨拝見　⑩支障
⑪的外　⑫得　⑬骨身　⑭供　⑮夕焼　⑯飼　⑰補　⑱敬　⑲指折　⑳幻

ワンポイント

書き取り

②**批判**
よい悪いを評価・判定すること。「比」の形をていねいに書こう。

④**業績**
仕事の出来栄え。「積」と間違えない。

⑤**討論**
是非を議論すること。論の右下は「冊」のように突き出ない。

⑦**亡命**
国を脱出して他国にのがれること。

⑩**支障**
さしつかえ。

⑬**骨身**
「骨身にしみる」で苦労や親切を体のしんまで感じること。

⑮**夕焼け**
「焼」の右側の形に注意。

⑰**補う**
ネ（ころもへん）とネ（しめすへん）の違いをはっきり書こう。

⑱**敬う**
尊敬すること。

⑳**幻**
実在しないものがあるように見えること。右側を「力」にしない。

第6回

模擬テスト　解答・解説

本冊P.96〜101

(一)　読み

①さいたく
②ずいぶん
③かいさい
④こくめい
⑤りょうし
⑥きょうい
⑦きどう
⑧じょうまん
⑨めんぜい
⑩ぐもん
⑪たいまん
⑫すいたい
⑬しょうそう
⑭とうき
⑮はれつ
⑯いんとく
⑰こうおつ
⑱まいせつ
⑲ちゅうしゅつ
⑳にわとり
㉑おもむ
㉒さそ
㉓ことわ
㉔ゆる
㉕こご
㉖う
㉗はげ
㉘しか
㉙なぐ
㉚なんくせ

ワンポイント

読み

①**採択**　複数の案などからよいものを取り上げること。

②**随分**　かなり。似た字「髄」との違いに注意。

④**克明**　細かな点まではっきりさせること。

⑦**軌道**　通る道筋。

⑧**冗漫**　表現がくどくて長いこと。

⑩**愚問**　愚かな質問。自分の質問をへりくだっていうときにも使う。

⑬**焦燥**　あせっていらだつこと。

⑯**隠匿**　隠すこと。

⑱**埋設**　地下に埋めて設置すること。

⑳**鶏**　1字でニワトリ。送りがなはつかない。

㉑**赴く**　ある状態に向かう。送りがなは「く」。

㉕**凍える**　他に「凍(こお)る」とも読む。「(こう)る」と書かないように。

(二)　同音・同訓異字

①ア
②ウ
③オ
④ウ
⑤ア
⑥エ
⑦イ
⑧ア
⑨エ
⑩イ
⑪ウ
⑫エ
⑬イ
⑭エ
⑮ア

ワンポイント

同音・同訓異字

①**魂胆**　隠されたたくらみ。

②**遺恨**　いつまでも残る恨み。

③**開墾**　山野を切りひらいて田畑とすること。

④**伸縮**　伸びちぢみ。

⑤**審議**　検討してよし悪しを決めること。

⑥**申請**　許可を求めること。

⑦**炊く**　水と一緒に煮て食べられるようにする。

⑧**耐える**　持ちこたえる。

⑨**裁つ**　布・紙などを切る。「断つ」とも書く。

⑩**拝聴**　聞くの謙譲語。

⑪**一兆**　億の1万倍。

⑫**一丁**　丁は豆腐や料理を数える単位。

⑬**奉公**　住み込みなどで主人に仕えること。

⑭**模倣**　まねすること。

⑮**胞子**　シダやキノコの生殖細胞。

(三)　漢字識別

①イ
②カ
③ク
④エ
⑤キ

(四)　熟語の構成

①オ
②イ
③イ
④エ
⑤ウ
⑥イ
⑦ア
⑧エ
⑨ア
⑩ア

ワンポイント

漢字識別

①**錯誤**　あやまり。間違い。

錯覚　思い違い。特殊な条件で、事実とは違って知覚されること。

③**霊験**　神仏などへの祈りに対して現れるご利益。「霊験あらたか」。

④**国賊**　国に害を与える人。

⑤**惜春**　春が過ぎていくのを惜しむこと。

熟語の構成

①**未詳**…詳しくわからない

②**存亡**…在る⇕亡くなる

③**昇降**…昇る⇕降りる

④**入籍**…入れる↑籍を

⑤**後悔**…後で↓悔やむ

⑥**虚実**…虚構⇕実像

⑦**超越**…超える＝越える

⑧**排他**…排除する↑他を

⑨**引率**…引く＝率いる

⑩**抑圧**…抑える＝圧力をかける

(五) 部首

① エ
② イ
③ ア
④ エ
⑤ ウ
⑥ ア
⑦ エ
⑧ イ
⑨ イ
⑩ エ

(六) 対義語・類義語

① 擁
② 辞
③ 哀
④ 尊
⑤ 殊
⑥ 勘
⑦ 専
⑧ 如
⑨ 追
⑩ 略

(七) 送りがな

① 安らかに
② 栄える
③ 群れる
④ 賢い
⑤ 崩れる

ワンポイント

部首

①**吉**
部首は口（くち）。士（さむらい）と間違えない。

④**婆**
部首は女（おんな）。

⑤**翻**
部首は羽（はね）。訓読み「翻（ひるがえ）る」も覚えておこう。

対義語

①**侵害** ⇕ **擁護**
②**承諾** ⇕ **固辞**
③**歓喜** ⇕ **悲哀**
④**卑下** ⇕ **尊大**
・**卑下**…へりくだる
・**尊大**…人を見下す
⑤**一般** ⇕ **特殊**

類義語

⑥**容赦** ＝ **勘弁**
⑦**没頭** ＝ **専念**
⑧**脱落** ＝ **欠如**
⑨**掃討** ＝ **追放**
⑩**陰謀** ＝ **計略**

送りがな

①**安らかに**
「らか」から送ることに注意。

(八) 四字熟語

① 奮闘
② 一挙
③ 一髪
④ 以心
⑤ 孤城
⑥ 東西
⑦ 理非
⑧ 平穏
⑨ 長寿
⑩ 満帆

(九) 誤字訂正

	誤		正
①	欄	→	覧
②	助	→	除
③	京	→	景
④	地	→	治
⑤	復	→	複

ワンポイント

四字熟語

①**力戦奮闘**
すべての力で戦うこと。

②**一挙一動**
ちょっとした動き。

③**危機一髪**
わずかな差で危険におちいりそうな状態。

④**以心伝心**
言葉を使わずにお互いの気持ちがわかること。

⑤**孤城落日**
勢いを失って助けもなく、心細い様子。

⑥**古今東西**
昔から現在まで、あらゆるところで。

⑦**理非曲直**
道理に合っていることと、そこから外れていること。

⑧**平穏無事**
特に変化がなく穏やかであること。

⑨**不老長寿**
年をとらずに長生きすること。

⑩**順風満帆**
物事が思うままに、順調に進むこと。

(十) 書き取り

① 面目
② 蒸発
③ 軽快
④ 感傷
⑤ 節減
⑥ 招待
⑦ 尺度
⑧ 干上
⑨ 慣
⑩ 束
⑪ 境
⑫ 結
⑬ 健
⑭ 告
⑮ 強
⑯ 角
⑰ 額
⑱ 空似
⑲ 防
⑳ 許

ワンポイント

書き取り

①**面目**
世間に合わせる顔。名誉。四字熟語「面目躍如」もよく出る。

⑤**節減**
使う量をきりつめて減らすこと。

⑥**招待**
客を招くこと。似た字との使い分けに注意。
・**招**…招待、招集。
・**召**…（国会の）召集。
・**紹**…紹介。
・**照**…照明、照会。

⑦**尺度**
計算・評価の規準。

⑪**境**
1字で境（さかい）。「見境」などもよく出る。

⑫**結ぶ**
他に「結（ゆ）わえる」とも読む。

⑲**防ぐ**
似た漢字に注意。
・**防**…防衛、防護。
・**妨**…妨害。
・**坊**…坊主、坊さん。

第7回 模擬テスト 解答・解説

本冊 P.102~107

(一) 読み

① ちょうぼ
② みりょう
③ こうろ
④ とつじょ
⑤ とうけつ
⑥ けいき
⑦ ちんじょう
⑧ そくばく
⑨ とくめい
⑩ すうせき
⑪ きとく
⑫ たいのう
⑬ しょうしん
⑭ きょせい
⑮ ひあい
⑯ もほう
⑰ ほげい
⑱ こふん
⑲ ぶんれつ
⑳ きえん
㉑ たび
㉒ こ
㉓ なぐさ
㉔ あわ
㉕ くわだ
㉖ うなが
㉗ ひあ
㉘ ゆず
㉙ くせ
㉚ くわ

ワンポイント

読み

③**香炉**
香をたくのに使う容器。「炉」を使った熟語は他に「暖炉」、「炉端」など。

④**突如**
とつぜん。「如」は「ジョ」の他に「ニョ」とも読むが3級では登場しない。

⑦**陳情**
実情を述べて、対応を迫ること。特に国や国会議員に要望すること。

⑧**束縛**
制限を加えること。

⑭**虚勢**
弱いところを隠して、威張ってみせること。

⑳**気炎**
(炎のように)盛んな意気。威勢のよさ。

㉑**足袋**
和装ではく靴下。熟字訓という特殊な読み方。

㉒**焦げる**
「焦(こ)げる」「焦(こ)がす」の区別がつくよう、送りがなをつける。他に「焦(あせ)る」とも読む。

㉕**企てる**
計画を立てること。

(二) 同音・同訓異字

① ア
② ウ
③ イ
④ ア
⑤ エ
⑥ イ
⑦ イ
⑧ エ
⑨ ア
⑩ ウ
⑪ エ
⑫ ア
⑬ ア
⑭ エ
⑮ イ

ワンポイント

同音・同訓異字

①**請ける**
要求や注文に応じる。

②**討つ**
悪人・敵を打ち倒す。

③**埋める**
土にうずめる。くぼみを平らにする。

④**豊潤**
豊かで潤いがあること。

⑤**遵守**　ルールを守ること。

⑥**巡回**　見まわること。

⑦**結晶**
分子や原子の集まった固体。愛や努力、苦労の結果。

⑧**衝動**　つき動かすこと。

⑨**半鐘**
火の見やぐらにつけた鐘。昔はこれを叩いて火事を知らせた。

⑩**飽和**
最大限まで満ちること。

⑪**芳名**　お名前。

⑫**縫合**　縫い合わせること。

⑬**丘陵**
なだらかな起伏や小山が続く地形。

⑭**食糧**　食物。特に主食を指す。それ以外も含めるときは食料。

⑮**狩猟**
鉄砲や網を使い、鳥獣を捕らえること。

(三) 漢字識別

① キ
② ク
③ ア
④ エ
⑤ コ

(四) 熟語の構成

① イ
② エ
③ オ
④ エ
⑤ ウ
⑥ ア
⑦ エ
⑧ ア
⑨ ア
⑩ ウ

ワンポイント

漢字識別

①**零細**
非常に規模が小さいこと。「零細企業」。

零落
おちぶれること。

③**衣冠**
衣服と冠。平安時代の男性貴族の衣装の一つ。

④**貫通**
貫きとおすこと。

突貫
(無理やり)一気にやり遂げること。「突貫工事」。

熟語の構成

①**精粗**…精密⇕粗い
②**棄権**…棄てる↑権利を
③**未遂**…やり遂げない
④**合掌**…合わせる↑掌を
⑤**蛮行**…野蛮な↓行為
⑥**滅亡**…滅びる＝亡くなる
⑦**惜春**…惜しむ↑春を
⑧**夢幻**…夢＝幻
⑨**波浪**…波＝浪(なみ)
⑩**既知**…既に↓知る

(五) 部首

① エ
② エ
③ ア
④ ア
⑤ ウ
⑥ イ
⑦ イ
⑧ ア
⑨ イ
⑩ ウ

(六) 対義語・類義語

① 革
② 随
③ 排
④ 穏
⑤ 辱
⑥ 奮
⑦ 裁
⑧ 期
⑨ 心
⑩ 哲

(七) 送りがな

① 預かる
② 肥えた
③ 済ませる
④ 凝る
⑤ 揚げる

ワンポイント

部首

①**郭**
部首は阝（おおざと）。「郭」はもともと都市の外まわりをかこんだ土壁の意味。

②**塑**
部首は土（つち）。

④**膨**
部首は月（にくづき）。たいこのようにふくらんだ体という意味の字。

対義語

①**保守** ⇕ **革新**
②**率先** ⇕ **追随**
③**協調** ⇕ **排他**
④**過激** ⇕ **穏健**
⑤**名誉** ⇕ **恥辱**

類義語

⑥**力闘** ＝ **奮戦**
⑦**外聞** ＝ **体裁**
⑧**希望** ＝ **期待**
⑨**懸念** ＝ **心配**
⑩**賢明** ＝ **明哲**

送りがな

①**預かる**
「預(あず)ける」「預(あず)かる」の区別がつくよう送りがなをつける。

②**肥える**
名詞の場合は1字で「肥(こえ)」。動詞になると「肥（こ）える」。

(八) 四字熟語

① 我田
② 二鳥
③ 応報
④ 兼備
⑤ 急転
⑥ 立身
⑦ 与奪
⑧ 電光
⑨ 悪逆
⑩ 腹背

(九) 誤字訂正

	誤		正
①	営	→	栄
②	単	→	担
③	使	→	視
④	側	→	測
⑤	功	→	候

ワンポイント

四字熟語

①**我田引水**
他の人を無視して、自分に都合のよい言動をとること。

②**一石二鳥**
一つの行いで二つの利益を得ること。

③**因果応報**
行いの善悪によって結果が変わってくること。

④**才色兼備**
才能と見た目の両方に恵まれること。

⑤**急転直下**
状況が急に変わり、解決に向かうさま。

⑥**立身出世**
世間に出て認められ、社会的に高い地位を得ること。

⑦**生殺与奪**
他人を思うままに、支配していること。

⑧**電光石火**
動きがとても速いこと。また、わずかな時間のこと。

⑨**悪逆無道**
道理に外れたひどい行為。

⑩**面従腹背**
表では従うふりをして、心の中では従わないこと。

(十) 書き取り

① 包囲
② 資格
③ 細胞
④ 実績
⑤ 収容
⑥ 敬遠
⑦ 巧妙
⑧ 安易
⑨ 開幕
⑩ 仮説
⑪ 緊張
⑫ 綿密
⑬ 質疑
⑭ 防
⑮ 経
⑯ 任
⑰ 近寄
⑱ 源
⑲ 臨
⑳ 射

ワンポイント

書き取り

①**包囲**
周囲をとりかこむこと。

④**実績**
実際にやりとげた功績。
・**績**…糸をつむぐ、手柄。
　成績、実績。
・**積**…積み重ねる。
　面積、積み木。

⑤**収容**
人や物を施設などに収めること。
収用
国が土地などを取り収めて使う。

⑥**敬遠**
その物事を避けること。

⑧**安易**
のんきなこと。いい加減なこと。

⑫**綿密**
やりかたが細かく手落ちのないこと。

⑮**経る**
ある場所を順次通って行く。「径」と区別して使おう。

⑰**近寄る**　近くへよる。

⑱**源**
みなもと。「原」も似た意味の字。

弱点が見つかる！ ミニテスト採点表

	読み	同音・同訓異字	漢字識別	対義語・類義語	熟語の構成	部首	送りがな	誤字訂正	四字熟語	書き取り
1回	/10	/12		/10		/10		/16		/16
2回	/10		/10	/10			/20		/20	/16
3回	/10	/12		/10	/22				/20	/16
4回	/10	/12		/10		/10		/16		/16
5回	/10		/10	/10			/20		/20	/16
6回	/10	/12		/10	/22				/20	/16
7回	/10	/12		/10		/10		/16		/16
8回	/10		/10	/10			/20		/20	/16
9回	/10	/12		/10	/22				/20	/16
10回	/10	/12		/10		/10		/16		/16
小計	目標:90/100	目標:76/84	目標:27/30	目標:80/100	目標:53/66	目標:36/40	目標:42/60	目標:52/64	目標:84/120	目標:128/160
得点率	%	%	%	%	%	%	%	%	%	%
11回	/10		/10	/10			/20		/20	/16
12回	/10	/12		/10	/22				/20	/16
13回	/10	/12		/10		/10		/16		/16
14回	/10		/10	/10			/20		/20	/16
15回	/10	/12		/10	/22				/20	/16
16回	/10	/12		/10		/10		/16		/16
17回	/10		/10	/10			/20		/20	/16
18回	/10	/12		/10	/22				/20	/16
19回	/10	/12		/10		/10		/16		/16
20回	/10		/10	/10			/20		/20	/16
小計	目標:90/100	目標:65/72	目標:36/40	目標:80/100	目標:53/66	目標:27/30	目標:56/80	目標:39/48	目標:98/140	目標:128/160
得点率	%	%	%	%	%	%	%	%	%	%
21回	/10	/12		/10	/22				/20	/16
22回	/10	/12		/10		/10		/16		/16
23回	/10		/10	/10			/20		/20	/16
24回	/10	/12		/10	/22				/20	/16
25回	/10	/12		/10		/10		/16		/16
26回	/10		/10	/10			/20		/20	/16
27回	/10	/12		/10	/22				/20	/16
28回	/10	/12		/10		/10		/16		/16
29回	/10		/10	/10			/20		/20	/16
30回	/10	/12		/10	/22				/20	/16
小計	目標:90/100	目標:76/84	目標:27/30	目標:80/100	目標:71/88	目標:27/30	目標:42/60	目標:39/48	目標:98/140	目標:128/160
得点率	%	%	%	%	%	%	%	%	%	%